El Burro de Plata

Sonya Hartnett

Ilustraciones de Jolanta Klyszcz

El Burro de Plata

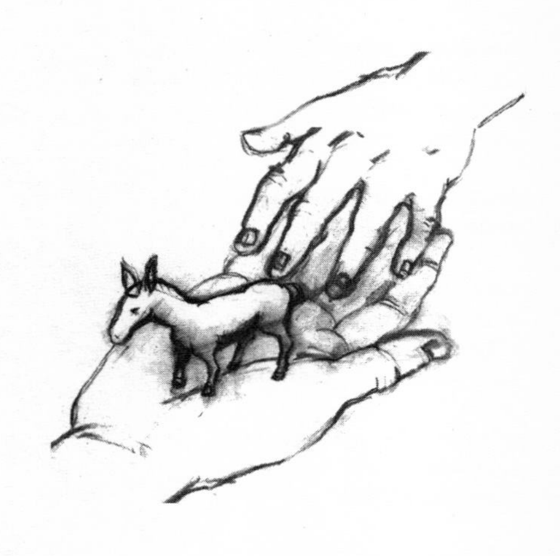

Dirección editorial: Antonio Moreno Paniagua
Gerencia editorial: Wilebaldo Nava Reyes
Coordinación de la colección: Karen Coeman
Cuidado de la edición: Pilar Armida y Obsidiana Granados
Coordinación de diseño: Humberto Ayala Santiago
Supervisión de arte: Alejandro Torres
Diseño de portada: Gil G. Reyes
Formación: Zapfiro Design
Traducción: Josefina Anaya
Ilustraciones: Jolanta Klyszcz

El burro de plata

Título original en inglés: *The Silver Donkey*

Editado por acuerdo con Penguin Books Australia, Camberwell, Victoria 3124, Australia.

Primera edición: mayo de 2008

Av. Insurgentes Sur 1886, Col. Florida,
C.P. 01030, México, D.F.

Ediciones Castillo forma parte
del Grupo Macmillan

www.grupomacmillan.com
www.edicionescastillo.com
infocastillo@grupomacmillan.com
Lada sin costo: 01 800 006-4100

Miembro de la Cámara Nacional
de la Industria Editorial Mexicana.
Registro núm. 3304

ISBN: 978-970-20-1304-4

Impreso en México/*Printed in Mexico*

Para Leanne Marcuzzi.

1
Un soldado entre los árboles

Una fresca mañana de primavera, en el bosque cercano al mar, dos niñas encontraron a un hombre acurrucado a la sombra. Creyeron que estaba muerto, y echaron a correr al instante, tomadas de las manos y gritando de emoción. Mientras corrían, intercambiaban a gritos toda clase de horrores y secretos:

—¡Creo que su fantasma nos persigue! —gritó la mayor.

—¡Perdón por haberle roto el brazo a tu muñeca! —aulló la más pequeña.

La mayor se detuvo y de un tirón hizo que su hermana se detuviera también.

—¡Sabía que tú le habías roto el brazo a Pupet! —gritó—. ¡Mentirosa, me dijiste que no habías sido tú! ¡Te he dicho que no tomes mis cosas!

La pequeña mantuvo la boca cerrada y deseó no haber dicho nada. Sus ojos se desplazaron por la pendiente que habían bajado corriendo.

—¿Y si viene el fantasma? —dijo, esperanzada.

Al recordar al muerto, su hermana volteó a mirar el camino recién recorrido. La cima de la colina estaba cubierta de delgados abedules y gruesos olmos; la hierba, esparcida bajo los árboles, era alta y de un verde brillante. Ahora que había recuperado el aliento y se había repuesto de la sorpresa, se dio cuenta de que descubrir un muerto era algo muy emocionante. Nadie en su escuela había encontrado un muerto; ni siquiera su hermano Pascal. Él se pondría lívido cuando supiera que sus hermanas habían hecho algo extraordinario mientras él, el hijo mayor y el único hombre, se había quedado sentado frente a la chimenea comiendo pan francés con canela. Marcelle, la niña mayor, imaginó la cara de Pascal cuando escuchara la novedad. De súbito, se sintió desbordante de emoción y alegría.

Aunque todo dependía, por supuesto, de que el hombre del bosque estuviera realmente muerto. Sería muy embarazoso llegar corriendo a casa gritando que había un hombre muerto en el bosque si en realidad sólo estaba dormido. Y ahora que había recobrado el aliento y había empezado a sentir el frío, Marcelle reflexionó que, en efecto, el hombre se veía tan dormido como muerto.

Sólo quedaba volver al bosque y mirar más de cerca. El misterio debía resolverse. Era necesario aclarar los hechos.

La pequeña, a la que todos llamaban Cocó, chilló cuando se dio cuenta hacia dónde la conducía su hermana. Hundió los talones en la tierra.

—¡No quiero ir! —lloriqueó—. ¡Tengo miedo!

—¡No, no tienes miedo! —gruñó Marcelle, y Cocó tuvo que admitir para sus adentros que era cierto. Nunca tenía miedo de nada—. Además, tenemos que hacerlo —ordenó Marcelle con firmeza—. ¿Qué tal si Pascal lo encuentra y luego dice que él lo vio primero?

Cocó sabía que esto no debía pasar. Pascal siempre echaba todo a perder. Se apresuró a subir por la colina, detrás de su hermana. En un instante, ya iban a toda carrera. La hierba mojada les llegaba a las espinillas y les lamía las botas. Se patinaban y tropezaban con las piedras resbaladizas. Su aliento salía en forma de nube. Habían olvidado por completo que su madre les había pedido que recogieran hongos y regresaran con los delantales llenos para darle de comer a su cerda. Con risitas tontas, ascendieron lo más rápido que pudieron.

Cuando llegaron a la orilla del bosque, las hermanas disminuyeron el paso y dejaron de correr; y cuando las lúgubres sombras del bosque las envolvieron y el aire se tornó gris y gélido a causa de la neblina, ya no caminaban, sino que arrastraban los pies. Pisaban con mucho cuidado, tratando de no hacer ruido. Cuando se aproximaron al claro donde yacía el hombre, se desilusionaron al verlo sentado. Era obvio que no estaba muerto. Y aunque se habían deslizado en el mayor silencio y habían permanecido ocultas detrás de los troncos y la maleza, el hombre, de oído agudo, debió de escucharlas, porque levantó la vista de las hojas caídas y las miró directamente.

2
Monsieur Shepard

—¿Quién anda ahí? —gritó el hombre, y luego lo repitió en el idioma que las hermanas entendían—: *Qui est là?*

Miró en dirección a Marcelle y Cocó. Debió de haber visto a un par de niñas muy delgadas, con los ojos brillantes, traviesas como los gatitos que nacen en los establos, la más alta con la ropa heredada de su hermano, la más baja desaliñada como un bribonzuelo de la calle. Entonces bajó la mirada a la tierra mohosa, luego la alzó hacia los árboles y, por último, la volvió hacia el mar distante. Buscó frenéticamente a su alrededor, como si las niñas fueran mariposas fugaces y pudieran posarse en cualquier sitio. Retrocedió a gatas en la tierra mojada, ensuciándose las rodillas de lodo.

—¿Quién anda ahí? —preguntó de nuevo.

Marcelle y Cocó miraron fijamente. Nunca se habían topado con alguien que tuviera tanto miedo de ellas. Esto las apenó y sintieron tristeza por él.

—Sólo somos nosotras —dijo Marcelle—. No hay nadie más.

El hombre dejó de gatear y se quedó muy quieto. Miró en dirección a una paloma posada por encima de la cabeza de Marcelle.

—No puedo verlas —dijo nervioso—. Estoy ciego. ¿Quiénes son ustedes?

Que el hombre fuera ciego compensaba que no estuviera muerto: Pascal nunca había encontrado ni conocido a un ciego. Las niñas, envalentonadas, examinaron más de cerca su descubrimiento, saliendo de las sombras como los cervatillos. Vieron que el cabello castaño del hombre estaba revuelto, y su cara, bastante sucia. Cocó, que tenía la mirada rápida de un gorrión, vio que guardaba algo plateado y llamativo en la palma de su mano, algo que brillaba y destellaba. Marcelle vio que, aunque vestía la ropa gastada de un viejo, el hombre no era viejo, sino más bien joven, como los hijos de los pescadores que organizaban carreras de botes en la bahía. Sus ojos azules brillaban, y sus mejillas estaban sombreadas con una fina barba a la que el papá de las niñas llamaba "pelusa de bebé".

—Yo soy Marcelle. Tengo 10 años. Ésta es mi hermana Cocó. Tiene ocho. Su verdadero nombre es Thérèse, pero todos le dicen Cocó.

—Porque tengo el pelo como el de un poodle negro —aclaró Cocó.

Marcelle se sintió obligada a seguir conversando sobre el tema.

—Cuando yo era chiquita y Cocó era bebé y tenía el pelo rizado como el de un poodle, *madame* Courbet, que vive en la esquina, tenía una perrita poodle diminuta llamada Cocó, y así fue como empecé a llamar a mi hermana: Cocó.

—Ya veo —dijo el hombre, mientras se acurrucaba en un árbol.

—Y a Cocó, la perrita poodle, alguien se la robó —agregó Cocó.

—Sí, se la robaron. Todos dicen que *mademoiselle* Bloom se la llevó, porque Cocó, la perrita, desapareció justo el día en que *mademoiselle* Bloom se fue a vivir a París, y a ella le gustaba mucho Cocó; la perrita, quiero decir, y todos dijeron que ella era la culpable. Pero eso pasó hace mucho tiempo.

—Cuando yo era bebé —dijo Cocó—. Ahora Cocó, la perrita, sería muy, muy, muy vieja.

—Y ahora, *madame* Courbet ya no tiene perro —dijo Marcelle—. Ni poodle, ni bulldog, ni salchicha, ni nada. Dice que se le partió el corazón cuando Cocó desapareció.

—Pero todo el mundo me sigue llamando Cocó —apuntó Cocó.

—Menos cuando te portas mal o cuando ocurre algo muy grave —le recordó su hermana—. Entonces te decimos Thérèse.

—Sí —admitió la pequeña—, cuando estoy en problemas, me dicen Thérèse.

El joven giraba la cabeza de una hermana a la otra, siguiendo las voces como si fueran pájaros. No sabía qué decir.

—Qué triste historia, la del perro.

—Sí, muy triste —Marcelle estuvo de acuerdo.

—¿Sigues teniendo el pelo rizado como el de un perrito poodle, Cocó?

—¡Sí, claro!

El joven, pensativo, asintió con la cabeza.

—Entonces sé bien cómo se ve tu pelo, aunque no pueda mirarlo.

Cocó, con sonrisa de oreja a oreja, se estiró un bucle. Estaba insoportablemente orgullosa de su pelo.

—Y ¿qué hace usted aquí? —preguntó Marcelle, deseosa de cambiar de tema.

El hombre frunció el entrecejo.

—Intento regresar a casa. Mi hermano menor está muy enfermo. Tiene apenas 11 años. Se llama John. Los doctores piensan que no le queda mucho tiempo de vida. Mi madre me escribió diciendo que todas las noches, en medio de la fiebre, despierta y pregunta por mí, y que debo regresar rápido a casa.

Marcelle y Cocó eran bondadosas y las palabras del hombre les estrujaron el corazón.

—¿Dónde está su casa? —preguntó Marcelle.

El hombre giró sobre sus rodillas y señaló en dirección al mar.

—Del otro lado del Canal de la Mancha, playa arriba. Hay que subir por un angosto sendero entre las rocas, y caminar unos cinco kilómetros por una vereda de piedra caliza. Luego se llega a una reja de cinco barras, flanqueada por robles altos como iglesias: ésa es mi casa. Las chimeneas se ven desde el camino. La ventana de John está en la planta baja, es la tercera a la derecha.

Marcelle se quedó pensativa. Sabía que el Canal era muy ancho, y que en ocasiones se agitaba y era peligroso. Sabía que cinco kilómetros eran mucha distancia para recorrer a pie.

—¿Cómo piensa cruzar el mar, subir por el sendero y caminar por la vereda de piedra caliza? —preguntó—. Está usted completamente solo. Y ciego.

El hombre se veía afligido.

—Sí, así es.

—¿Es usted soldado? —preguntó Cocó de sopetón.

El hombre se acurrucó en el árbol.

—¿Por qué me preguntas eso?

—Bueno, porque usted parece soldado. Tiene una manta de soldado y usa botas de soldado. Y porque unos soldados pasaron la noche en nuestro pueblo y hablaban chistoso, como usted.

—Se dice "con acento" —la corrigió Marcelle con superioridad.

El hombre estaba inquieto, como si mirara hacia todos lados. El fascinante objeto de plata seguía dentro de su puño cerrado, reluciente como un anzuelo, oculto como una gema. Dijo:

—Soy un soldado..., bueno, lo era. Ya no lo soy.

—¿Por qué no? ¿Porque está ciego?

El soldado asintió, vacilando.

—Sí, ésa debe de ser la razón.

—Nosotras podríamos ayudarlo a volver a su casa, *monsieur* —Marcelle se acercó un poquito—. Puede venir con nosotros a nuestra casa; cada una lo tomaremos de una mano para guiarlo. Estoy segura de que papá sabrá decirle cómo llegar a su casa.

—¡No, no! —el soldado agitó los brazos—. No le hablen a nadie de mí. ¡No deben hacerlo!

Las niñas, sorprendidas, abrieron los ojos como platos, pero no tuvieron miedo. Cocó preguntó:

—¿Por qué no?

—Porque... pues porque... —el soldado parecía desvalido, había dejado caer las manos sobre su regazo—. Porque otras personas no entenderían nada sobre John y su enfermedad, y que pregunte por mí todas las noches, ardiendo en fiebre. La gente podría decir que debería volver a mi puesto de soldado y olvidarme de mi hermano, pues solamente es un chico enfermo y estamos en guerra.

El soldado parecía muy afligido y se mordía el labio; Marcelle, que había observado muchas injusticias en el mundo, pensó que tal vez él tenía razón sobre lo que las personas podrían decir. Nadie parecía poner atención a nada que no fuera la fastidiosa guerra; nada más parecía tener importancia. Como fuera, a ella le venía bien mantener al soldado en secreto: le complacía mucho saber algo que su hermano no sabía.

—¿Escuchaste, Thérèse? —se dirigió a su hermana imperativamente—. No digas ni una palabra a nadie. Ni siquiera a mamá o a papá.

—No diré nada —prometió Cocó levantando la barbilla con dignidad.

—Quizá sea mejor que regresen a su casa —suspiró el soldado, acariciando con los dedos el fascinante objeto que guardaba en la mano. Cocó se estiró y se paró de puntitas, pero no pudo verlo bien—. Tal vez sería mejor que se olvidaran de mí.

Marcelle negó con la cabeza, no tenía ningún sentido guardar un secreto si uno lo olvidaba enseguida. Recordó entonces que el soldado no veía y dijo:

—No le contaremos a nadie, ¡se lo prometemos, *monsieur*! Además podemos darle comida y algo de beber. Hoy tenemos que ir a la escuela, pero después podemos traerle algo. Pan y mermelada, y un poco de coñac o vino. ¿Le gustaría?

Durante los últimos días, el soldado no había comido más que un puñado de galletas y sólo había bebido rocío, por lo cual se moría de hambre y de sed. La promesa de una comida decente lo hizo sentir muy débil y sin huesos.

—Tengo hambre —admitió el soldado—. Me gustaría comer algo.

—Entonces se lo traeremos —dijo Marcelle—. Al rato, cuando salgamos de la escuela. Quédese a descansar en la sombra y espere a que volvamos.

El soldado se limpió la sucia cara y sonrió. El estómago le rugía del hambre. Se recargó en el tronco del árbol, y se acurrucó para protegerse del frío.

—Recuerden, no deben decirle a nadie que estoy aquí. Todavía no. Todavía no.

—Lo recordaremos —dijo Marcelle.

—¿Cómo se llama usted? —preguntó Cocó sin despegar su mirada de la mano cerrada del soldado, y de lo que destellaba entre sus dedos doblados.

—Mi nombre es Teniente —contestó el soldado—, Teniente Shepard.

Cocó pensó que "Teniente" era un nombre extraño para una persona, incluso para alguien que hablaba con acento y se escondía en el bosque; pero su madre decía que no podía saberse todo sobre algunas personas, así que descartó el asunto por incomprensible.

Había algo más importante que le daba vueltas en la cabeza. Y preguntó:

—¿Qué tiene usted en la mano?

El soldado inclinó la cabeza en dirección a la voz. No contestó de inmediato, como si sopesara si sería mejor guardar algunas cosas para sí. Las niñas esperaron, tensas como gatos. Entonces el soldado extendió los dedos y mostró lo que llevaba escondido en su puño. El objeto atrapó la luz de la mañana y la hizo centellear contra los árboles. Las niñas se quedaron sin aliento y el corazón les dio un brinco; se aproximaron a toda prisa, revolviendo las hojas. Sobre la palma de la mano del soldado había un reluciente burro de plata, pequeño y perfecto como un ratón. Sus patas eran delgadas como ramitas y miraba a través de un flequillo de pestañas forjadas. Tenía cuatro sólidas pezuñas, un par de orejas finas y puntiagudas, las rodillas nudosas, las crines desaliñadas y el hocico redondo y suave. Su cola oscilante remataba en un rizo de pelo plateado. Parecía listo para saltar el hombro del soldado y emprender el galope hacia el bosque. Era la cosa más hermosa que Marcelle y Cocó habían visto en su vida.

—¡Oh! —contuvo la respiración Cocó—. ¡Qué bonito! ¿Me lo presta?

Marcelle le dio un manazo. El soldado sonrió.

—Lo lamento, Cocó —dijo—, pero lo necesito, ¿sabes? Es mi amuleto de la buena suerte.

—¡Ah! —Cocó sintió que sus ojos se fundían en el exquisito objeto—, ¿y sí es de la buena suerte, *monsieur*?

La mano del soldado tembló cuando acarició el lomo del burro, aunque sonreía:

—Creo que sí, Cocó —contestó—. Creo que sí.

3
La bruma

Después de recordar que en casa esperaban verlas llegar con el delantal lleno de hongos para la inquieta cerda de cara rosada, Marcelle y Cocó descendieron la colina a toda prisa haciendo muchas promesas de volver en cuanto pudieran. Entonces el soldado metió el burro de plata en su bolsillo y se envolvió en la manta. El aire del bosque era frío y se alegró de haber conservado la manta, aunque fuera áspera y oliera a tierra húmeda. También se alegraba de tener sus botas del ejército y sus calcetines, que eran cómodos y mantenían sus pies secos. Sabía que debía haberse desecho de la manta y las botas, así como se había despojado de su uniforme y de su bolsa color caqui. Pero también sabía que se habría sentido desamparado sin la amigable compañía de la manta. Además, un hombre necesita sus botas si ha de recorrer el largo camino a casa.

"Un hombre también necesita sus ojos", recordó el soldado.

Hacía más de una semana que se le habían formado unos nubarrones en los ojos. Antes, sus ojos habían sido agudos como los de un halcón. El soldado siempre había creído que la ceguera significaba negrura, una interminable e insuperable barricada de nada teñida de negro. Sin embargo, su ceguera era diferente. Más que negro, veía blanco. Todo lo que lo rodeaba se había ido blanqueando hasta desaparecer de su vista, como las palabras de un libro abierto al sol: ahora sólo quedaba la blancura. Era como si sus ojos se hubieran llenado de una bruma espesa como sopa de chícharos y ahora el mundo entero estuviera oculto tras la blancura, que era posible tocar, pero imposible ver.

Cuando había emprendido el camino de regreso a casa, alejándose resueltamente del fango y de la locura de la guerra, llevaba una brújula, vestía su uniforme y su visión era clara. Su primer objetivo había sido el mar: llegar a las aguas espumosas del Canal lo haría sentirse casi en casa. Había caminado sin parar, un pie delante del otro, apenas levantando la mirada de la superficie pedregosa del camino. A su lado pasaron carretas tiradas por mulas, afligidas familias sin hogar, hileras serpenteantes de soldados de quienes se desprendía un hedor a fango y humo. Después de dos días, abandonó el camino de piedra, harto de que se fijaran en él, lo detuvieran y le hicieran preguntas. Prefirió tomar los atajos que conducían a los campos y los atravesaban. En cuanto encontró la oportunidad, se robó la ropa de un viejo que halló colgada al sol en un tendedero. Después de ponérsela, el soldado enterró su uniforme. Se colgó la cantimplora al cuello y se llenó los bolsillos de pasas. Luego dejó su mochila en la zanja de una vereda, y la cubrió con pedruscos amarillos para que el peso impidiera que la sacaran. Por último, cargó la manta en sus hombros. El burro de plata estaba en su bolsillo del pecho. La brújula estaba en su mano. Pensaba en el mar, en las ondulantes olas verdes. Vestido con la ropa del anciano, ya no parecía un soldado.

No habló con las pocas personas con quienes se cruzó. No habló consigo mismo. Pero oía muchas voces en su cabeza: el rugido de los generales, los cantos de los soldados, los lamentos de los heridos. Otros sonidos se sumaban a éstos: el repiqueteo del alambre de púas, los relinchos de pánico de los caballos, los disparos de los rifles, el estruendo del suelo al explotar. Pronto hubo tanto ruido en su cabeza que dejó de oír la brisa, el ronco mugido de las vacas y el cuchicheo de las ardillas rojas que habitaban en todos los árboles. Dejó de oír los gansos que graznaban por encima de su cabeza y a los granjeros que lo saludaban agitando la mano. Marchaba por los caminos a paso lento, con la cabeza gacha y el ceño fruncido, acosado por los sonidos de los que intentaba escapar. Sin embargo, había un sonido que esperaba escuchar: forzaba sus oídos para percibir el suspiro del mar.

De noche, dormía en graneros y cobertizos. En una ocasión durmió en un cementerio, acurrucado en su manta, entre tranquilas lápidas mortuorias. Despertó para encontrarse con un mundo brumoso; y aun cuando las nubes del mundo pronto se despejaron, se quedaron en sus ojos, que las absorbieron como si fueran un genio atrapado en una botella. Luego, cada día, cada minuto que pasaba, su vista se nublaba un poco más. Tiró la brújula cuando ya no pudo ver su aguja trémula. Empezó a caminar más rápido, a correr. Bebió la última gota de agua y no se percató cuando la cantimplora vacía se le cayó de las manos. Por la blancura de sus ojos cruzaban ráfagas de color: el verde olivo de los uniformes, el dorado de las municiones, el escarlata y púrpura de los campos de batalla.

Ansiaba con todas las fibras de su ser oír la silenciosa agitación del Canal: tambaleándose, caminaba en dirección a casa lo más rápido que podía, en una carrera contra la creciente bruma.

Finalmente, su vista se inundó y no tuvo más remedio que permanecer sentado en el bosque, sin hacer nada, excepto esperar a que la bruma se alejara milagrosamente. Supo que estaba cerca del agua cuando pudo olerla y escucharla en la quietud de la noche. Supuso que la orilla estaría a un kilómetro. Mas para un ciego en un país desconocido, un kilómetro es un largo, largo camino.

Al soldado le pareció que había pasado dos o tres días en el bosque antes de que Marcelle y Cocó lo hallaran, pero el tiempo era algo misterioso en su mundo brumoso. Quizá había estado ahí más tiempo, quizá menos. Le pareció que habían sido años. Lo suficiente para sentirse solo y asustado. En realidad, todavía se sentía solo y asustado, aunque el encuentro con las niñas le había dado ánimos: sus voces fluidas como arroyuelos habían retirado una parte del terrible clamor que resonaba en su cabeza. Saber que ya no estaba solo lo hizo sentirse como cuando era niño y despertaba con la luz del sol el día de Navidad.

Seguramente, el Canal estaba a un escaso kilómetro de donde él se hallaba. Se encontraba hambriento y andrajoso, pero muy animado. Aunque la manta olía mal y le causaba comezón en la cara, lo calentaba. Del otro lado del Canal se extendía un país fresco y verde: su patria. En algún lugar se erigía una verja con cinco barrotes y, detrás de ésta, la gran casa donde el soldado había nacido. En los inmensos campos de su casa, cubiertos de hierba, el soldado había aprendido a cabalgar en un poni y a patinar en el lago congelado. En un invernadero cuyos ventanales reflejaban la luz del sol, su padre había plantado un naranjo al lado de la mansión.

De niño, el soldado había amado la casa, el jardín y la habitación que guardaba todos sus tesoros. Pero cuando cumplió nueve años, para su gran disgusto, lo enviaron a un internado. Siempre detestó ese lugar. Le había escrito cartas a su madre suplicándole que le permitiera regresar a casa. Cada día que había pasado en el internado, pensó en su casa exactamente como hacía ahora en el bosque, a tantos años de distancia: con el mismo dolor que le desgarraba el corazón.

No le habían permitido dejar el internado: como siempre les ocurre a los niños, lo habían obligado a hacer lo que los adultos pensaban que debía hacer. Le pareció que pasaría una eternidad antes de tener la edad suficiente para ser libre de nuevo.

Cuando se declaró la guerra, el soldado se alistó sin tardanza, al igual que todos sus amigos. Cuando lo enviaron al otro lado del Canal, a los pantanosos países donde la guerra se recrudecía, había partido con la expectativa del asombro y la emoción. La guerra, sin embargo, no era nada de lo que había imaginado. En lugar de asombro sentía horror. Tampoco sentía emoción, solamente nostalgia y desolación. Una vez más, ansiaba escapar.

Pero esta vez no se había tomado la molestia de suplicar el permiso de nadie para volver a casa. Esta vez simplemente dio media vuelta y empezó a caminar, con un pie delante del otro.

4
MERMELADA Y LECHE EN EL BOSQUE

Marcelle y Cocó fueron muy pacientes durante sus clases de la escuela y se cuidaron de no decir palabra acerca del soldado que habían encontrado en el bosque, aunque Marcelle no resistió preguntarle a su maestra, *madame* Hugo:

—¿Qué tan ancho es el Canal de la Mancha?

Madame Hugo consultó su libro más grueso.

—En su punto más ancho, el Canal de la Mancha mide 240 kilómetros.

—¡Oh! —exclamó Marcelle desconcertada, pues 240 kilómetros era extraordinariamente lejos, quizá tan lejos como la luna.

Madame Hugo siguió consultando su libro.

—Sin embargo, en su punto más angosto —continuó leyendo—, el Canal tiene 32 kilómetros de anchura. Sus aguas son turbulentas, el viento sopla hacia el occidente y con frecuencia caen tempestades con vientos que ululan.

—¿Y qué anchura tiene donde nosotros vivimos, *madame*? ¿Es muy ancho?, ¿o no tanto?

Madame Hugo chasqueó la lengua: era evidente que algunos alumnos suyos necesitaban más lecciones de geografía. Desenrolló un mapamundi e indicó el microscópico punto que representaba su pueblo.

—Como ves, donde vivimos el Canal es angosto. No tiene más de 35 kilómetros de anchura. Lo cual es una suerte, si estás planeando cruzarlo a nado, Marcelle.

Los demás niños rieron e hicieron como peces, y como si fueran Marcelle luchando por mantenerse a flote entre las olas azotadas por el viento. Marcelle los ignoró. Era mucho mejor 35 kilómetros que 240. Aun así era mucho. No estaba tan lejos como la luna, pero quedaba lejos.

El día pasó muy lentamente.

Cuando *madame* Hugo dejó salir a los alumnos, Marcelle y Cocó se apresuraron a ir a casa. Estaban nerviosas, emocionadas y solemnes.

—¿Y si mamá nos dice que no podemos ir al bosque? —preguntó Cocó, temerosa—. ¿Y si papá quiere que lo ayudemos en la casa?

Sin embargo, cuando llegaron a casa, su papá estaba encerrando las vacas en el establo y su mamá estaba planchando junto a la ventana de la cocina, al calor de un cuadro de luz solar. Su madre planchaba la ropa de la gente del pueblo, pero sus propios hijos andaban por ahí desaliñados y con la ropa arrugada. Como sus padres estaban ocupados, les resultó fácil a las hermanas empacar un tesoro de delicias para su soldado. Cocó hasta tomó una escuálida almohada de su cama.

Cuando salieron corriendo al patio, nerviosas por la euforia de su escapada secreta, las niñas se sobresaltaron al ver a su hermano Pascal columpiándose en la reja.

—¿Adónde van ustedes dos? —preguntó.

Cocó se escondió detrás de su hermana, abrazando su almohada. Marcelle le frunció el ceño a Pascal.

—¡A ningún lado! —le dijo—. ¡A ningún lado que te interese!

Su hermano resopló:

—Eso ya lo sé.

—¡Quítate de la reja, Pascal, tenemos que pasar!

Pascal no se quitó.

—¿Por qué?

Marcelle dio una patada en el suelo.

—¿Por qué qué?

—¿Por qué necesitan pasar? —dijo Pascal arrastrando las palabras.

—Vamos a un día de campo —Cocó se asomó por detrás de su hermana—. Mira, son las cosas para el día de campo —dio un tirón al morral que llevaba Marcelle y agitó la almohada tímidamente.

—Así es —asintió Marcelle—. Nos vamos de día de campo. Llevamos a todas nuestras muñecas. Tú también puedes venir, si quieres.

Pascal resopló más fuerte, frunciendo la nariz.

—¡No quiero ir a un estúpido día de campo! ¡Largo, estoy ocupado!

—¡Ocupado! ¿Qué estás haciendo, aparte de destruir la reja?

Pascal se irguió como un príncipe.

—Estoy esperando a Fabrice. Me dijo que me llevaría hasta el muelle en el asiento lateral de su moto.

Marcelle y Cocó apretaron los labios. Les hubiera encantado viajar en el asiento lateral en forma de burbuja que zumbaba como cohete al lado de la motocicleta de Fabrice. Por supuesto, no se lo confesaron a su hermano. Cuando abrió la reja, pasaron junto a él sin decir palabra y caminaron animadamente por el sendero hacia las colinas.

—Podremos subirnos a la motocicleta cualquier otro día —dijo Marcelle para sí misma y para su hermana—. Ahora debemos pensar en el soldado.

Cocó deslizó su mano en la de su hermana. La almohada le rebotaba contra las rodillas mientras trotaba por el camino. Muy quedito, dijo:

—¿Y si ya no está?

—Creo que sí estará —contestó Marcelle, aunque a ella también le preocupaba que, al llegar al claro del bosque, sólo encontraran hojas y plumas. La mañana parecía muy lejana, y el día había transcurrido tranquilo desde entonces: le preocupaba que el soldado fuera un sueño que Cocó y ella habían compartido de alguna manera. Cómo se decepcionaría si el soldado resultara ser sólo un sueño.

Cocó sabía que se pondría a llorar si encontraban el claro vacío, pues nunca más volvería a ver el burro de plata.

Pero cuando llegaron al claro sombreado por los olmos, ahí estaba el soldado. Tenía los ojos cerrados, pero los abrió. Con una mano tomó una gruesa rama que yacía en su regazo.

—*Qui est là?* —preguntó, ansioso.

—Somos nosotras —respondió Marcelle—, Cocó y Marcelle.

El soldado sonrió aliviado y dejó la rama a un lado. Las hermanas se aproximaron y se pusieron en cuclillas en la tierra fresca.

—Le traje una almohada —dijo Cocó.

—Yo le traje algo de comer —dijo Marcelle.

—¿Puedo ver el burro de plata? —pidió Cocó.

El soldado buscó en su bolsillo y sacó el burro de plata. Brilló en medio de la palma de su mano con sus pequeñas orejas levantadas. Cocó dudó un poco.

—No voy a romperlo —dijo.

—Sé que no lo harás, Cocó. Muchas gracias por la almohada.

Cocó tomó el burro y se lo llevó a los labios. Tenía un sabor limpio como el agua. Este burro de plata era lo que más amaba en el mundo.

—Aquí está lo que le trajimos —dijo Marcelle mientras sacaba las cosas de su morral y las colocaba en el suelo—. Higos secos. Una hogaza de pan: mi madre lo hizo. Me temo que está muy duro. Una bolita de mantequilla. Un poco de mermelada de zarzamora. Una botella de leche y un poco del vino que mi abuelo le regaló a mamá cuando Cocó nació. Éste es un par de calcetines de lana de papá, y una bufanda para calentarse el cuello. También puede enredársela alrededor de las orejas, si se le enfrían. Bueno, ¿qué le gustaría comer primero?

Aunque estaba congelado hasta la médula, perdido y ciego, el soldado dirigió una sonrisa a los árboles. Pensó que nunca había oído una lista de manjares más apetitosos.

—La mermelada de zarzamora es mi preferida —dijo el soldado—. Comeré pan con mermelada y lo acompañaré con leche.

Marcelle se ocupó de preparar el banquete. Había olvidado traer un cuchillo para untar la mermelada. Cocó sopesó el burro de plata. La superficie tenía un poco de relieve para sugerir el tosco pelaje de un burro.

Canturreando para sí, pasó los dedos sobre el relieve. No escuchó al soldado cuando preguntó:

—¿Tuvieron un buen día en la escuela?

—¡Oh, sí! —contestó Marcelle—. Pero le tengo malas noticias, *monsieur*. ¡El Canal tiene 35 kilómetros de anchura! Usted no podría nadar tanto, ni siquiera si no estuviera ciego. Aunque podría ser peor: ¡llega a tener hasta 240 kilómetros! Pero de todos modos, 35 kilómetros es demasiado.

—Sí —el soldado no quería pensar en un mar demasiado ancho para cruzarlo a nado. Había pensado en eso todo el día. Ahora quería pensar en comer.

Marcelle untaba la mermelada con un palito, alegrándose de que el soldado no pudiera verla. La siguiente vez traería un cuchillo. Dijo:

—He estado pensando una y otra vez en cómo podría llegar usted hasta su casa.

—¿Pensabas en mí, y no en tus clases?

—Sí —admitió Marcelle—, así es.

El soldado rio entre dientes.

—¿Y lo lograste? ¿Encontraste alguna forma en la que pueda llegar a casa?

—No —Marcelle le puso el pan untado de mermelada en la mano—. Lo siento mucho —dijo, apenada—. Sólo somos unas niñas, *monsieur*. No sé si somos lo suficientemente listas para encontrar la manera de que usted llegue a casa. Ojalá lo hubieran encontrado personas más inteligentes, como papá, o el alcalde.

El soldado devoró el trozo de pan de dos hambrientos bocados. Se relamió las migajas de los dedos. Bebió la leche de un solo trago y suspiró como si hubiera bebido néctar.

—¡Qué delicia! —dijo.

—¿De veras? —Marcelle estaba contenta—. ¿Le gustó?

—El alcalde no lo habría preparado mejor, Marcelle. Tuve suerte de que ustedes me encontraran, o nunca habría probado esta mermelada ni esta leche. ¿No te dije que es un burro de la buena suerte, Cocó?

—¡Sí, es cierto! —exclamó Cocó maravillada—. ¿El burro lo trajo aquí para que pudiéramos encontrarlo, *monsieur*?

—Seguramente —el soldado buscó a tientas algo más que comer. Marcelle le acercó los higos para que los alcanzara—. Aunque yo casi no veía nada, me mantuvo sano y salvo. Los burros son así de listos y confiables. Uno siempre puede confiar en ellos.

—En el pueblo, *monsieur* Corto tiene un burro —dijo Cocó—, que tira de la carreta de pescado. Pero yo no me fiaría de ese burro.

—¿Por qué no?

—Si uno se le acerca mucho, muerde.

El soldado mordisqueó un higo.

—*Monsieur* Corto no ha de tratar bien a su burro. Sólo los burros maltratados, los que no reciben cariño, muerden. ¿Y por qué no habrían de hacerlo? A nadie le gusta que no lo quieran o que lo maltraten. Los burros que reciben cariño no muerden, besan.

—¡Besan! —chilló Marcelle—. ¡No me gustaría que un burro me besara!

—No, ¡a ti te gustaría que te besara Émile Rivère!

Indignada, Marcelle se volvió hacia su hermana.

—¡Claro que no! ¡Cierra la boca, Cocó!

El soldado preguntó:

—¿Quién es Émile Rivère?

—¡Un niño de nuestro pueblo! —gritó Cocó—. Se sientan juntos en la escuela. ¡Marcelle está enamorada de él!

—¡Eso no es verdad! —aulló Marcelle—. ¡Cállate, Thérèse!

—¡Quiere besarlo! ¡Un día lo hizo!

—¡No es verdad! ¡Vete de aquí, eres una tonta!

—Yo preferiría que me besara un burro y no un niño, ¡y menos Émile Rivère!

El soldado reía, pero amablemente.

—Cuidado, Cocó. Algún día podrías cambiar de parecer con respecto a los niños.

—¡Jamás lo haré!

—De todos modos, el beso de un burro es diferente, no se parece en nada al beso de una persona.

—¿Cómo es entonces? —preguntó Marcelle, ansiosa por abandonar el tema de Émile.

El soldado se sacudió la tierra de las manos y se recargó en el árbol. La almohada de Cocó estaba doblada bajo sus hombros y la manta lo cubría. Estaba abrigado, bien alimentado y ya no estaba solo: al menos por ahora, se permitió olvidar que estaba ciego y que añoraba volver a casa. Los terribles sonidos del campo de batalla, que retumbaban día y noche en su cabeza, cesaron, como si hubieran convenido una tregua. Por el momento, estaba, en verdad, feliz. Sintió un leve empujón en el brazo y luego el ligero peso del burro de plata cuando Cocó se lo puso en la mano. Sintió las puntas sin filo de cuatro patas erguidas sobre su palma. El soldado tomó el último higo y, masticándolo en trozos pequeños, contó una vieja historia.

5
La primera historia

Un día, hace mucho tiempo, un poderoso rey decidió contar cuántas personas había en su reino, para poder recordar, cuando estuviera aburrido, cuántas personas eran más pobres y menos poderosas que él. Y para hacer las cosas difíciles, decretó que, para el censo, todos debían volver a su lugar de origen.

Con el paso de los años, algunas personas se habían ido a sitios muy lejanos de su lugar de origen, y como no se habían inventado los coches, las bicicletas ni las motocicletas, muchas de ellas tuvieron que regresar caminando a sus ciudades. Entre esta gente había un hombre llamado José, nacido en la ciudad de Belén, la cual estaba lejos de Nazaret, lugar donde vivía con su esposa María. Entre Nazaret y Belén, había kilómetros de rocas, arena y ardiente sol. A José no le importaban las rocas ni la arena, pero María pronto iba a tener un bebé, y a él le preocupaba que no aguantara el largo recorrido hasta Belén. No sabía qué hacer. No podía llevar a María cargando hasta Belén. Era demasiado pobre para comprar una mula y una carreta para transportarla. A medida que se acercaba el día del gran censo, José se sentía cada vez más preocupado; además, el nacimiento del bebé estaba cada vez más cerca.

Una mañana, los rebuznos del burro de la vecina despertaron a José, y enseguida supo qué hacer. Salió corriendo sobre la delgada hierba y los espinos, luego brincó el muro y entró en el patio de su vecina.

—¡Ruth! —gritó—. ¿Dónde estás?

La vecina de José era una anciana. Su esposo había muerto hacía muchos años y vivía con sus jilgueros, sus cabrillas y su vieja burra, Avellana.

—Qué gritos son esos, José —contestó—. Vas a despertar a los muertos.

José se apretó las manos.

—Ruth —dijo—, es preciso que me ayudes. Necesito que me prestes a tu burra.

Ruth lo miró.

—Si necesitas que te preste a mi burra —respondió—, lo que necesitas es su ayuda, no la mía. ¿Para qué necesitas a mi Avellana?

—María y yo debemos ir a Belén para el censo —empezó José—. María no puede ir a pie. El bebé nacerá de un momento a otro. La única forma de que María viaje a Belén es que me prestes a Avellana para llevarla.

Ruth miró a José de arriba abajo. Miró en dirección a Avellana, que dormitaba bajo el sol. Avellana era una pequeña burra gris. De joven había sido bonita, ágil y veloz. Ahora tenía la edad de las montañas y estaba esquelética y estropeada. Siempre había sido un animal noble, y dado lo mejor de sí. Ruth le había prometido que, cuando ambas envejecieran, pasarían los días sin hacer nada más que dormir al sol. Ahora Avellana estaba vieja y Ruth cumplía su promesa.

—Belén está muy lejos de aquí —dijo—. Mi Avellana está vieja y cada vez más débil.

—Lo sé. Pero la cuidaré mucho, Ruth, lo prometo. Avellana es nuestra única esperanza. Si no llegamos a Belén a tiempo para el censo, quién sabe qué hará el rey. Tal vez me arroje al calabozo y entonces, ¿cómo se las arreglarán María y el bebé?

Ruth frunció el ceño. Ella sí sabía qué haría si el rey se presentaba de repente y empezaba a parlotear sobre calabozos: se lo pondría en las rodillas y le daría la tunda de su vida, la que su madre debió haberle propinado de pequeño. Cruzó cojeando el patio donde se encontraba Avellana y le susurró a su larga oreja:

—Lleva a María sana y salva a Belén. Da lo mejor de ti, Avellana mía, y luego vuelve a casa conmigo.

De esta manera, José condujo a Avellana a su casa con gran alivio y, muy pronto, María y él partían rumbo a Belén.

No olvidaron la promesa que José le hizo a Ruth y cuidaron muy bien de Avellana. Procuraron tomar el camino más llano entre Nazaret y Belén, para que la burra no tuviera que subir colinas. En el bochorno del mediodía, se detenían a la sombra para que no padeciera el sol. Cuando hallaban un pozo, José llenaba un balde para Avellana antes de beber él mismo. Si había grava o piedras en el camino, José las apartaba. Aunque estaba cansada e incómoda, María desmontaba e iba a pie siempre que podía, para que la burra gris pudiera descansar de su peso.

Avellana se portaba muy bien. Nunca se detenía ni se negaba a avanzar. Ni rebuznaba escandalosamente cuando José dormía una pequeña siesta en la sombra. Aunque le dolían las patas y el lomo, y el brillo del sol era demasiado para sus ojos, seguía avanzando a paso constante. Cuando las moscas zumbaban alrededor de la ancha y gris cara de Avellana, María se las espantaba con una rama de olivo. A veces, la burra sentía los saltitos del bebé de María, aunque todavía no hubiera nacido. Caminaba con paso firme y seguro, cuidando al bebé danzante, meciéndolo para tranquilizarlo. De noche, bajo las estrellas parpadeantes, José le acicalaba el pelaje.

—Eres una linda burra —le decía.

Después de cuatro días de camino, llegaron a Belén. Caía la noche y las llamas de incontables lámparas iluminaban la ciudad. Cuando atravesaban las puertas, María exclamó:

—¡Ay!

Avellana enderezó las orejas.

—¿Qué pasa? —preguntó José.

—Creo que el bebé nacerá esta noche —dijo María, y sonrió.

—¡Entonces tenemos que encontrar una habitación sin demora! —gritó José, aturdido y emocionado. No sabía nada de paternidad. Tiró de la correa, para apresurar a Avellana. Pararon en la primera posada que vieron.

—Por favor, ¿podemos alquilar un cuarto? —preguntó José al propietario.

—No hay cuartos —contestó el hombre—. La posada está llena.

—Bueno —dijo María—, vayamos a la siguiente posada.

—Por favor, ¿podemos alquilar un cuarto? —dijo José al propietario de la siguiente posada.

—No hay cuartos —dijo el propietario—. Mi posada está llena.

—¿Está usted seguro? —preguntó José—. Estamos desesperados. Mi esposa va a tener un bebé esta noche.

—Entonces estoy más que seguro —contestó el propietario—. Ningún bebé puede nacer en mi posada.

¡Ni esta noche ni nunca! —y le azotó la puerta en las narices a José.

—¡Vaya! —dijo María—. Busquemos en otra posada, José.

Y así, Avellana, María y José caminaron por las atestadas calles de Belén hasta que llegaron a otra posada, una pequeña construcción en ruinas. A José le hubiera gustado que su bebé naciera en un palacio, pero sólo podía pagar la posada más humilde.

—Por favor —dijo al propietario—, ¿podemos alquilar un cuarto para pasar la noche?

—No —dijo el propietario—, Belén está lleno de viajeros que han regresado para el censo. No van a encontrar un cuarto vacío en ninguna posada de la ciudad. Han llegado demasiado tarde, ¿saben?

José se desalentó.

—Mi esposa va a tener un bebé esta noche —suspiró—. No sé qué vamos a hacer.

El posadero miró a María, que estaba parada apaciblemente junto a la vieja burra. El posadero era un buen hombre. Sabía que debía ayudarles.

—Detrás de la posada hay un establo —dijo—. Pueden quedarse ahí, si quieren. Hay mucha paja fresca donde pueden descansar y estarán al abrigo del viento. Es todo lo que puedo hacer.

¡Un establo! Esto era mucho peor que una humilde posada. ¿Cómo iba José a contarles a sus amigos que su bebé había nacido en un establo? Pero María dijo:

—Estamos muy agradecidos —y condujo a Avellana a la parte trasera del edificio, donde se encontraba el establo.

En el interior del establo no había ninguna lámpara, pero era una noche despejada y con el cielo estrellado, así que los tres viajeros pudieron ver, a la luz de la luna, que el establo estaba ocupado por dos vacas parduscas, paradas tranquilamente junto al pesebre, y tres borregos gordos, apiñados en un rincón, que miraron con ojos curiosos a los recién llegados. El calor de los animales había entibiado acogedoramente el establo. María se sentó en una pila de paja. José tomó la estera del lomo de Avellana y llenó un morral de heno. Luego preparó una merienda de fruta y pan para él y para María.

La tranquilidad reinaba en el establo. A medida que pasaban las horas, la música y las risas de las calles se desvanecieron y la noche se aquietó. Las estrellas parecían brillar con más intensidad conforme la noche se hacía más oscura. José encendió una vela y su parpadeante llama produjo destellos dorados en la paja. Las vacas y los borregos dormían de pie, sacudiendo la cabeza ocasionalmente. Avellana permanecía despierta.

El bebé de María nació justo después de la media noche. Era un niño. Lloró, pero sólo un momento. Luego miró a su alrededor con ojos atentos, bien abiertos. José estaba desbordante de alegría por ser el padre de un niño tan hermoso, y quería mostrárselo a todo el mundo, pero aparte de los animales, no había nadie más, así que José se lo mostró a ellos. Las vacas se inclinaron por encima de la barandilla de su pesebre y olisquearon al niño. Exhalaron sobre él su dulce hálito, el perfume de las cosechas y el sol. Los borregos se apiñaron, curiosos, alrededor del bebé. Parpadeaban y lo miraban fijamente. Se preguntaban por qué no estaba cubierto de lana.

Por último, José llevó el bebé a Avellana. La vieja burra inclinó la cara hacia el niño, cuyos ojos azules como el zafiro se reflejaron en los ojos cafés como el azúcar moreno del animal. Su hocico blanco y suave rozó la mejilla del niño.

—¿Viste eso, María? —exclamó José—. Nuestra burra le dio un beso.

Y María sonrió, pues sabía que, cuando un burro besa a un bebé, significa que el niño poseerá las mismas características que hacen del burro la criatura más noble de todas: será paciente, tolerante, modesto, compasivo, complaciente, amable y valiente. El bebé se verá bendecido, al igual que el burro, con pacífica gracia.

José le acarició la frente a la fiel Avellana.

—Gracias, vieja amiga —dijo.

María, José, el bebé y Avellana se quedaron en el establo durante varios días. María y José inscribieron su nombre en el censo, así como el de su hijo. Mientras tanto, el rey recibió noticias fatales. Sus consejeros más sabios le comunicaron que en Belén había nacido un príncipe.

¡Un príncipe! No podía ser. Un príncipe podría apoderarse algún día de la corona y expulsar al rey del palacio, y entonces, ¿adónde iría a parar el pobre rey? A la calle, en medio de la horrible gentuza. El rey mandó llamar al capitán de sus soldados.

—Ve a Belén —le dijo—. Secuestra a todos los bebés varones nacidos ahí durante los dos últimos años.

—¿Y qué haremos con ellos, su Alteza?

—Mételos en costales y tráemelos —contestó el rey—. ¡Y hazlo rápido!

Así que el capitán reunió a sus soldados y partieron a todo galope hacia Belén.

Mientras tanto, en el establo, Avellana estaba cada vez más inquieta. Pateaba las paredes con sus pezuñas. Rebuznaba y revolvía la paja.

—Creo que extraña a Ruth —dijo María—. Debemos llevarla a casa, José.

José empacó sus enseres, hizo un cabestrillo para el bebé, le agradeció al posadero su hospitalidad y se despidió de los borregos y de las vacas. El reducido grupo de viajeros emprendió el trayecto hacia Nazaret en el fresco amanecer. Avellana tiraba de su soga cruzando a toda prisa la ciudad dormida. María y José tuvieron que trotar para seguirle el paso. María estaba fatigada después de todo lo que había tenido que enfrentar y, tras caminar unos cuantos kilómetros, necesitó un descanso. Pero Avellana, impaciente, tiraba de la soga y pateaba el camino polvoriento. Agitó su negra cola bruscamente y hocicó a María con la nariz.

—María, súbete al lomo de Avellana, —sugirió José—. Así podrás descansar y Avellana no tendrá que detenerse.

María se montó con reservas, pues le preocupaban la fragilidad y la edad de Avellana. Los viajeros prosiguieron su recorrido: con el niño en el cabestrillo, José iba al lado de Avellana, que caminaba estoicamente, evitando escollos y piedras. Hacia el mediodía, vieron a la distancia una numerosa legión de soldados del rey que se dirigía a Belén a toda prisa. Una cenicienta tormenta de polvo y arena se levantaba a su paso. Cuando los vieron en su carrera, María y José se alegraron de haber salido de Belén. No era conveniente estar en el mismo lugar que los soldados del rey.

Avellana tiró de la soga.

—Está bien, Avellana —dijo José—, ya vamos, ya vamos.

Caminaron sin parar. El bebé lloraba a veces. Moscas amodorradas revoloteaban alrededor de las orejas de la burra. El sol quemaba. El suelo pedregoso estaba disparejo y agrietado. La arenisca amarilla del camino les producía comezón en los ojos. Todo era desagradable; estaban hastiados y doloridos. Pero nada detenía a Avellana. Miraba sin flaquear hacia el horizonte, donde estaba Nazaret. En las tardes, cuando

José despertaba de su siesta, la burra estaba ahí parada, alerta y a la espera, mirando hacia la distancia, hacia donde el camino blanco desaparecía.

Después de tres días de camino, llegaron a casa.

Ruth salió corriendo a recibirlos. Echó los brazos alrededor del cuello de Avellana. Luego admiró al recién nacido.

—Avellana le dio un beso —contó José, orgulloso.

—¡Ah! —exclamó Ruth muy complacida—. Entonces traerá mucho bien a este mundo, ya lo verán.

José, el feliz padre, llevó al bebé a casa para darle un baño. Ruth condujo a Avellana a su refugio y reunió un poco de paja para ella. Se dio cuenta de que su querida burra estaba exhausta por el viaje de ida y vuelta a Belén. Le acarició la frente oscura y le susurró a su larga y grisácea oreja:

—Ya puedes descansar.

A la mañana siguiente, ni Ruth ni José despertaron con los rebuznos de Avellana. Ruth encontró a la burra acurrucada en la paja, con las patas dobladas cuidadosamente bajo el cuerpo. Las orejas le caían al suelo y no levantó la cabeza. Un gorrioncillo café saltaba a su alrededor, mientras agitaba las alas. Cuando vio a Ruth, echó a volar hacia los travesaños y gorjeó con impaciencia.

José vino al refugio y se paró junto a Ruth, mirando al burro con tristeza.

—¡Ay, Ruth! —dijo—. ¡Cuánto lo siento!

—Nada vive para siempre, José —contestó Ruth—. Afortunados quienes son recordados después de haberse ido. Asegúrate de contarle a tu hijo sobre Avellana y el viaje que hicieron con ella a Belén. Enseña a tu hijo a amar a los animales, a ser siempre amable con ellos. Creo que a Avellana le gustaría eso.

—Lo haré —prometió José, y cumplió su palabra: cuando su hijo fue lo suficientemente grande para comprender, José le contó que los borregos y las vacas habían sido los primeros en darle la bienvenida al mundo, y de la burra gris que lo había mecido gentilmente, lo había transportado sano y salvo, y le había besado suavemente la mejilla.

6

De noche, bajo los árboles

Cocó lloraba.

—¡Pobre burra! —sollozó.

—Pero murió feliz —Marcelle le dio una palmada en el hombro—. De todos modos, sólo fue una historia.

Las lágrimas resbalaban, una tras otra, por el rostro de Cocó.

—¿De veras fue sólo una historia? —imploró al soldado—, ¿o realmente sucedió?

—Eso tendrás que decidirlo tú misma, Cocó —contestó el soldado.

Cocó se secó las lágrimas con la manga del vestido.

Echó una mirada al burro de plata que brillaba en la mano del soldado.

—Voy a tratar de ser siempre muy buena persona —gimió—, como un burro.

El soldado sonrió.

—Siento que la noche se acerca —dijo—. El aire está enfriando. Deben volver a casa ahora, antes de que vengan a buscarlas.

Las niñas se pusieron de pie, entumidas. Marcelle le preguntó al soldado:

—*Monsieur*, ¿va a estar usted bien, aquí solo en el bosque?

—Sí —dijo el soldado—, estaré cómodo y abrigado con estos calcetines y la almohada de Cocó.

Entonces le dieron las buenas noches y prometieron volver en la mañana. Bajaron la colina corriendo hasta la vereda que llevaba a su casa. Aquella noche, durante la cena, Cocó estuvo pensativa: había llegado a la conclusión de que, definitivamente, la historia de Avellana era verdad. Preguntó a su madre:

—Mamá, ¿cuando nací me besó un burro?

—¡Claro que no! —contestó su madre riendo—. ¡Qué ocurrencia, Cocó!

Cocó fingió que no veía la mirada enfurecida y amenazante de Marcelle. Miró su cena, decepcionada. Supuso que al soldado sí lo había besado un burro cuando era bebé. De otra forma, no tendría el valor suficiente para dormir solo en el bosque.

Más allá del pueblo, en las oscuras colinas, el soldado yacía acurrucado al pie del árbol. Escuchaba los sonidos nocturnos de la campiña. La manta verde olivo del ejército lo cubría y el burro de plata estaba donde lo llevaba siempre: cerca de su corazón. Aunque sólo podía ver la blanca bruma que envolvía sus ojos, sabía que la noche estaba oscura como boca de lobo, alumbrada apenas por la pálida luna y una que otra estrella fugaz. Oía el viento pasar entre los árboles y el entrechocar de las hojas. Escuchaba la llamada de los animales nocturnos: lechuzas, ratones, un zorro. No le daba miedo estar en el bosque; sabía que los árboles, las criaturas y el viento no le harían daño. Pero también sabía que no era valiente.

Alguna vez creyó que era valiente, además de muchas otras cosas. Cuando se alistó en la milicia, estaba seguro de que era la mejor elección. Todo el mundo sabía que la guerra necesitaba tantos soldados como pudiera reclutarse. Su madre, su padre y su hermana se acongojaron cuando les dijo lo que había hecho. Les preocupaba perderlo en la guerra. No obstante, todos estuvieron de acuerdo en que alistarse era lo mejor. Su país lo necesitaba, y a miles de jóvenes como él, para defenderlo y resguardarlo. En todo caso, él no sería un soldado ordinario. Venía de una familia acaudalada, había asistido a la escuela más cara, podía hablar en tres idiomas sin equivocarse. Sabía montar a caballo y disparar una pistola y, en general, era astuto como un zorro. Sin duda, el ejército aprovecharía sus habilidades. No lo enviarían con los soldados de menor rango. Tal vez lo nombrarían teniente, el comandante de 30 hombres. Él les diría a sus soldados qué hacer, hacia dónde ir y cómo ganar la guerra. Imaginó que estos hombres le serían leales, que escucharían atentos cualquier palabra que pronunciara. Cuando fueran a la batalla, sus soldados lo seguirían entre el humo y el caos y, cuando lo vieran pelear como un león, pelearían a su vez como leones.

Hecho ovillo en el bosque y tiritando de frío, se rio para sí. ¡Qué tonto había sido esos primeros días! Había sido necio y orgulloso como un gallo.

En efecto, el ejército lo hizo teniente. Lo pusieron al frente de 30 hombres. Eran jóvenes rudos y pobres. En casa habían sido mineros, caldereros, barrenderos, hieleros. Pensaban que él, su Teniente, era escuálido y ridículo. A veces, cuando pasaba cerca de ellos, los oía reírse. Sin embargo, se esforzó por tratarlos bien. Procuró ser justo, comprensivo y jovial. Por todo esto, sus hombres llegaron a admirarlo, tanto como él los admiraba a ellos. Se jactaban con los demás soldados de que su Teniente era un tipo decente. Dejaron de reírse cuando pasaba; ahora lo invitaban a jugar cartas con ellos y le pedían que les corrigiera los errores de ortografía en sus cartas. Y él había dado lo mejor de sí mismo, mes con mes, para que todos se alimentaran y permanecieran sanos y con vida.

Desde luego, en la guerra es imposible mantener con vida a todos los soldados. El soldado lloraba a cada hombre muerto como si hubiera sido su hermano. Pasó noches espantosas en trincheras inmundas escribiendo a madres y padres lejanos, para decirles que su hijo había fallecido. Vio a sus hombres deprimirse, volverse cínicos, de sangre fría, enfermos. Él odiaba la guerra, y no podía quitarse de la cabeza el recuerdo de las atrocidades que había visto.

Hacía frío y el soldado se sentía solo en el bosque de hayas y olmos; pero en la brisa, alcanzaba a oír el sonido sordo y constante de olas en movimiento: el Canal. Tenía 35 kilómetros de heladas aguas verdes, pero 35 kilómetros parecía una distancia corta en comparación con todo lo que había avanzado. Era mucho mejor estar allí, solo y congelado, pero sintiéndose cerca de casa, que en aquellas indescriptibles trincheras.

Pero, al menos, allá decían que era un hombre valiente; aquí, escondido entre las hojas y las sombras, dirían que era un cobarde.

7
UN RECIÉN LLEGADO EN EL BOSQUE

Esa mañana, llovía.

—¡Pobrecito de nuestro soldado! —gritó Marcelle, mientras se vestía a toda prisa para protegerse del clima—. ¡Va a empaparse hasta los huesos!

—¡Nuestro guapo soldado se va a ahogar! —gimoteó Cocó.

—Debemos ir con él lo más rápido posible —declaró Marcelle, poniéndose las botas.

Las hermanas bajaron corriendo.

—¡Mamá! —dijo Marcelle—. ¿Podemos salir a recolectar hongos para Julieta? —Julieta era la cerda de la familia.

La madre, sentada en un banco frente a la estufa, tostaba pan en un tenedor. El pan llenaba la casa con un olor que hacía agua la boca.

—¿No ves que está lloviendo? —dijo—. Ustedes se quedarán en casa para no mojarse antes de ir a la escuela. Guarden las orillas del pan del desayuno para Julieta; también quedará algo de leche para ella.

Marcelle y Cocó brincaban impacientes:

—Pero es que tenemos que salir, mamá —gimoteó Cocó—. Es importante. Nos llevaremos el paraguas de papá. ¿Podemos, papá?

Su padre venía del establo para desayunar. Tomó un tazón de leche caliente entre sus manos heladas.

—¿Qué puede ser tan importante para que mi Cocó tenga que salir en medio de la lluvia y se convierta en una rata empapada? —preguntó.

Cocó pensó con rapidez. No podía mencionar al soldado, pues lo había prometido.

—Hay una familia de gnomos en el bosque —contestó ingeniosamente—. Nos dijeron que debíamos visitarlos hoy por la mañana, antes de ir a la escuela.

—Sí —dijo Marcelle, impresionada por la mentirilla de su hermana—. ¡Van a enseñarnos la magia de los gnomos!

Pascal estaba sentado cerca de la estufa, balanceando una rebanada de pan tostado en sus rodillas.

—¡Gnomos en el bosque! —se burló—. Más bien serán trolls.

Cocó frunció el ceño.

—Trolls no, ¡gnomos!

Pascal continuó:

—He oído que hay trolls en el bosque, cientos de ellos. Con unos dientotes y mal aliento.

—Éstos son gnomos —insistió Cocó—. Son chiquitos y están vestidos de azul.

—Podrían ser trolls disfrazados. A los trolls les gusta andar de azul.

Cocó se enfadó.

—¡Los trolls sólo viven bajo los puentes, Pascal! ¡Los gnomos viven en los bosques!

—No, no es cierto —Pascal mordió su pan tostado—. Los trolls viven en todos lados. Y, con frecuencia, se disfrazan de gnomos mágicos solamente para engañar a las niñas bobas.

—¡Mamá! ¡Pascal es un grosero! ¡Eres un grosero, Pascal!

—¡Silencio, todos ustedes! —dijo la madre de los niños—. Marcelle, aquí está tu desayuno. Acuérdate de guardar las orillas del pan para Julieta. Cocó, ¿dónde está tu morral? Llegarás tarde a la escuela si no lo encuentras. *Madame* Hugo va a detenerme otra vez en la calle para decirme delante de todo el pueblo que no me ocupo de su educación. La cara se me puso roja de vergüenza.

—Esa *madame* Hugo de veras da miedo —estuvo de acuerdo el padre de los niños.

Las niñas se miraron con impotencia. Nada podían hacer. El soldado se quedaría solo y hambriento bajo la lluvia.

Fue un mal día para Marcelle. No dejó de pensar en el pobre soldado. Pensó en el burro de plata y en la vieja y heroica Avellana. Pensó en el hermano del soldado, John, enfermo y tendido en una habitación blanca al otro lado del mar. Imaginó sus lamentos febriles durante la noche. "¡Teniente!", gemiría patéticamente, "Teniente, ¿dónde estás?".

Pero el Teniente no podría contestarle porque estaba en el bosque, sentado en medio de la lluvia, del otro lado del Canal, y las únicas personas que sabían que estaba ahí eran dos niñas, una de las cuales (Cocó) recitaba la tabla del nueve parada sobre una caja al frente de la clase. Marcelle escuchaba con una oreja. Cocó era inteligente y no titubeaba en las multiplicaciones, ni siquiera al llegar al nueve por ocho, que a Marcelle siempre le había parecido difícil.

—Nueve por ocho, setenta y dos —canturreó Cocó como un mirlo. Marcelle suspiró y miró por la ventana con desánimo. Seguía lloviendo. El vidrio de la ventana estaba empañado por el frío. Cocó era inteligente, pero no lo suficiente como para idear la forma de ayudar al soldado a regresar a su casa. Tampoco Marcelle, aunque se había devanado los sesos.

Necesitaban la ayuda de alguien más inteligente. Pero habían prometido que no le contarían a nadie acerca del soldado. ¿Cómo podían entonces pedir la ayuda de alguien? Estaban en un predicamento.

Cuando la lluvia se calmó después del almuerzo, *madame* Hugo tocó la campana, y los niños salieron volando muy animados por las calles mojadas, pisando los charcos. Cocó y Marcelle partieron a casa con rapidez. Cocó mantuvo a su madre ocupada con preguntas mientras Marcelle asaltaba la cocina para obtener comida. El soldado estaría hambriento, y congelado hasta los huesos. Marcelle metió en su morral una hogaza de pan, una rebanada de queso, una taza de azúcar, un tarro de manzanas secas: la alacena ahora se veía vacía. Para compensarlo por no haber ido a visitarlo en la mañana, decidió hacerle un regalo. Del tocador de su papá tomó la segunda mejor navaja de rasurar. La mejor era más bonita, pero papá pronto se daría cuenta de que había desaparecido.

Hizo una seña a Cocó desde la entrada.

—Terminaremos nuestra discusión más tarde, mamá —dijo Cocó, y salió corriendo de la cocina antes de que su madre pudiera abrir la boca.

Las hermanas caminaron una al lado de la otra por la vereda. Marcelle llevaba al hombro el morral al que se le hacía un bulto con forma de hogaza de pan. Cocó miró hacia el cielo borrascoso.

—Pobre soldado —refunfuñó.

—Espero que el Teniente no se haya muerto —murmuró Marcelle con preocupación.

—¡Muerto! ¿Podría estar muerto? ¿Por qué habría de estar muerto?

—Quizá pescó una pulmonía y se debilitó.

—¡Ay, voy a llorar si eso fue lo que ocurrió! —prometió Cocó.

Ambas se pusieron a recordar que apenas ayer habían encontrado al soldado en el bosque y habían creído que estaba muerto. Ahora que se habían encariñado con él, la muerte del soldado les parecía mucho más dolorosa, y mucho más probable.

—Me pregunto si le gustaría que me quedara con el burro de plata —musitó Cocó—. Quiero decir, si está muerto.

Inesperadamente, una figura dio la vuelta en la esquina de la vereda bardada con un muro de piedra. Las niñas estaban lo bastante cerca para ver que era su hermano Pascal, que se había ido a pasear al pueblo con sus amigos después de la escuela. Ahora volvía a casa con los zapatos empapados y un pescado colgado entre los dedos.

—Miren —dijo, blandiendo el pescado—. Fabrice me lo dio para la cena.

Fabrice era amigo de Pascal y era el dueño de la motocicleta. Trabajaba en el muelle reparando redes y botes. A veces lanzaba el sedal de su caña en el embarcadero para atrapar lo que pasara por ahí. El olor a algas del pescado provocó que Marcelle y Cocó hicieran una mueca.

—¡Repugnante! —regañó Marcelle.

—Para nada, *très bon*! ¿Adónde van? ¿A otro día de campo con este clima?

—¡No es asunto tuyo! —siseó Cocó.

Pascal dijo divertido:

—¿Van a visitar a los gnomos vestidos de azul?

—¡No es asunto tuyo, Pascal! ¡Déjanos en paz!

—¡Ajá! ¡Así que sí van a visitar a los gnomos! ¿Puedo ir con ustedes?

—Tú ni siquiera crees en los gnomos —Cocó frunció el ceño.

—Pues por eso quiero conocer a sus gnomos —contestó Pascal razonablemente.

Marcelle miraba el pescado de ojos vidriosos.

—Si vienes con nosotras —dijo de repente—, debes prometer que vas a mantener en secreto todo lo que veas.

Cocó se volteó hacia ella horrorizada:

—¡Marcelle!

—Debes jurarlo por tu vida, Pascal. Es importante.

—¡Marcelle! —aulló Cocó—. ¡No!

Pascal alzó los hombros y sonrió despreocupado.

—Lo juro por mi vida.

—Y también —agregó Marcelle— debes donar tu pescado.

Pascal miró el pescado.

—Los gnomos comen pescado —dijo Marcelle.

Cocó le jalaba la manga.

—Marcie —gimoteó—, prometiste no decir nada. ¡Lo prometiste!

Marcelle no respondió. Se echó a andar, y Pascal y Cocó la siguieron. Esperaba que cuando le explicara al soldado, él entendería por qué había llevado a Pascal al bosque. Pensó que no importaba si Cocó entendía o no.

Mientras trepaban por las colinas, los empapó la lluvia, que perlaba el pasto y se había acumulado en charcos secretos que la hierba ocultaba. Las colinas estaban salpicadas de flores silvestres, cuyos pétalos se habían magullado por las gotas de lluvia. Cocó, disgustada y haciendo pucheros, marchaba con gran dificultad y en silencio detrás de su hermano y su hermana. Esperaba que el soldado se enojara con Marcelle y que, cuando Pascal le contara a todo el pueblo acerca del soldado, entonces el mundo se enojaría con su hermana.

Cuando estaban por llegar al escondite del soldado, Marcelle le dijo a Pascal:

—Espera aquí.

Pascal se detuvo bajo un abedul, con el pescado colgando entre sus rodillas. Encima de él y a su alrededor pendían las fantasmales ramas. Marcelle continuó trepando, en dirección al bosque; Cocó la siguió, mordiéndose el labio. A pesar de lo furiosa que estaba, no había olvidado que era posible que el soldado hubiera muerto de pulmonía.

Pero el soldado estaba sentado, recargado en el árbol, con la manta enredada en la cabeza. Sus manos estaban metidas en los calcetines del papá y ocultas bajo las axilas. Se asomó por el borde de la manta cuando oyó los pasos aproximarse. A veces se le olvidaba que no podía ver.

—¿Marcelle? —dijo inquieto—. ¿Cocó?

—Somos nosotras —dijo Marcelle.

El soldado suspiró aliviado.

—¡Creí que se habían olvidado de mí!

—No, *monsieur* Teniente, no nos olvidamos de usted. Mamá no nos dejó salir en la mañana por toda esa lluvia.

—¡Estábamos muy preocupadas por usted! —le dijo Cocó, atormentada—. Pensamos que a lo mejor el agua lo había arrastrado, o que había muerto de frío.

—La lluvia no me molesta —les aseguró el soldado. Había estado empapado hasta los huesos muchas veces durante la guerra. Había pasado muchos meses avanzando trabajosamente por trincheras cenagosas—. Estoy acostumbrado a ella.

Cocó no pudo contenerse un minuto más.

—Nuestro hermano Pascal está oculto entre los árboles, Teniente. Marcelle lo trajo hasta acá, no yo.

—Tuve que traerlo, Teniente —dijo Marcelle. Para desconcierto de Cocó, Marcelle parecía triste—. No se me ocurre ninguna forma de ayudarlo a llegar a su casa. Tampoco a Cocó. Pero Pascal es inteligente y tiene 13 años. A lo mejor se le ocurre un plan para que usted pueda volver a casa con su mamá y su papá y John.

El soldado miró sin ver a Marcelle. Ella no pudo mirarlo. Luego el soldado dijo en voz alta:

—Pascal, ¿dónde estás?

—Aquí estoy —dijo Pascal, saliendo de entre las sombras. No había esperado ni un minuto bajo el abedul para ir tras sus hermanas. Tenía mucha curiosidad de ver a los gnomos de los que hablaban. Él no creía en la existencia de los gnomos. Le sorprendió ver a un hombre envuelto en una manta, sentado con las piernas cruzadas bajo los árboles, pero ver gnomos le habría sorprendido mucho más.

—*Bonjour, monsieur* —dijo con cortesía.

—Se llama *monsieur* Teniente Shepard —le dijo Cocó—. *Monsieur* está ciego. No debes decirle a nadie que está aquí. Prometiste que no lo harías, ¿recuerdas?

Pascal había notado de inmediato las botas militares del soldado. Sabía que "Teniente" no era un nombre, sino un rango en el ejército. De inmediato supuso que un teniente oculto en el bosque era alguien que había huido de la guerra. Los soldados que huían de la guerra eran castigados con severidad. Podían ir a prisión, o ser fusilados. Pascal se alegró bastante de conocer a alguien que podía morir fusilado. Entendió por qué era necesario mantener al soldado en secreto.

—Es un placer conocerte, Pascal —dijo el soldado.

—Igualmente, Teniente —contestó el muchacho—. ¿Cómo perdió la vista? ¿Lo alcanzó la metralla? ¿Se le quemaron los ojos con gas venenoso?

—Me temo que es una larga historia —replicó el soldado.

—Le trajimos algo de comer, *monsieur* —interrumpió Marcelle, sacando el pan, el azúcar, las manzanas y el queso de su morral—. Pascal también trajo un pescado. Podemos hacer una fogata y cocinárselo para que cene.

—No podemos encender una fogata —dijo Pascal—, no hay leña seca por aquí.

Marcelle se dio cuenta de que era verdad, y se sintió un poco tonta, pero, cuando menos, el soldado había escuchado por sí mismo lo inteligente que Pascal podía ser. Dijo:

—*Monsieur* Shepard necesita tu ayuda, Pascal.

—¿Necesita mi ayuda? —Pascal se sintió halagado—. ¿Cómo?

—Debe volver a su casa para ver a su hermano, que está enfermo y lo llama por las noches. Pero primero tiene que cruzar el mar, y el sitio más angosto del Canal mide 35 kilómetros.

—Es demasiado para ir a nado —agregó Cocó—. Además, está ciego. Podría nadar en círculo y terminar donde empezó.

En un instante, a Pascal se le ocurrió una idea. No se la dijo a sus hermanas ni al soldado; primero quería perfeccionar su plan a solas. Mientras tanto, Cocó le preguntó al soldado:

—¿Me deja ver el burro de plata?

El soldado lo sacó de su bolsillo. Cocó mostró a Pascal el pequeño objeto.

—Este burro es el amuleto de la suerte de *monsieur* Teniente. ¿No es lindo? Lo mantuvo a salvo en la guerra, y continúa haciéndolo, con todo y que está ciego. ¿Puede contarnos otra historia, *monsieur*?

Pascal no estaba interesado en un burro de plata, pero sí en escuchar terroríficas historias sobre la guerra. Se sentó en una piedra y se frotó las manos heladas. Cocó se sentó junto a él con los brazos alrededor de las rodillas. Marcelle cortó el pan y el queso con la navaja de rasurar de su papá, y mientras el soldado contaba su historia, los cuatro compartieron el distinguido té de la tarde bajo los árboles que chorreaban agua.

8

La segunda historia

Una vez, hace mucho tiempo, una cosa espantosa aconteció en el mundo: el gran monzón, que fielmente había traído la lluvia dadora de vida desde que plantas, personas y animales podían recordar, inexplicablemente no llegó. El cielo había mirado el mundo y vio muchas cosas que no le gustaron. Disgustado y decepcionado, decidió:

—No habrá lluvia.

En la Tierra, la estación seca había sido prolongada. Había dejado el suelo cocido, petrificado, y los árboles, sin hojas. Los ríos quedaron reducidos a pozas fangosas. Los pastos se marchitaron y desaparecieron.

Personas y cosas esperaban con impaciencia la llegada del monzón. Su lluvia devolvería la vida al mundo, que estaba tan seco como una momia egipcia. Le daría color a todo lo que la sequía había dejado marchito y pardusco. Para las personas, las plantas y los animales, que con dificultad se las arreglaron durante los arduos meses de sequía, el monzón traería misericordia. Todos los seres vivos buscaban en el cielo la primera nube de tormenta.

—Pronto vendrá la lluvia —se prometían unos a otros.

Pero la lluvia no llegó.

Pasaron los días, luego las semanas. El cielo ya debería de estar agitado por las tormentas. Las lanzas de los relámpagos ya deberían de estar destellando por entre las nubes. Los pastos deberían de estar brotando, frescos y verdes, por entre las grietas del suelo anaranjado. Las orillas de los ríos deberían de estar siendo arrastradas por la poderosa fuerza de la lluvia impetuosa. Pero nada de esto pasaba. El cielo permanecía deslumbrante y dolorosamente azul, y el sol continuaba ardiendo. No llovía: ni una gota.

Al principio las personas estaban perplejas. Ningún ser vivo recordaba que el monzón hubiera fallado. Estaban seguros de que pronto llegaría la lluvia.

—El monzón es como un querido amigo que se quedó dormido durante una tarde de calor —se decían unos a otros—. En cualquier momento despertará y recordará que lo estamos esperando aquí, y que ha sido muy descortés al retrasarse.

Las personas acordaron perdonar a su querido amigo por la tardanza, con tal de que llegara pronto: antes de que todo el mundo tuviera demasiada hambre, y antes de que la poca agua restante se evaporara hacia los cielos.

Pero el cielo permaneció azul.

Pasó un mes. El cielo continuó azul. El aroma del azafrán, que durante cientos de años había endulzado el aire, se desvaneció, y fue reemplazado por el olor del polvo.

Los árboles, que habían soportado la estación seca durante 100 años, no pudieron soportar esta nueva sequía, cruel e interminable. Comenzaron a crujir y a lamentarse mientras dormían. Cayeron de rodillas como bestias heridas.

Los animales permanecieron inmóviles donde alguna vez hubo lagos.

Los recién nacidos fueron golpeados por el sol, y lloraban por una gota de humedad, luchando contra la miseria de este mundo abandonado.

Las personas miraron el cielo con furia:

—¡Lluvia! —apremiaban—, ¿cómo te atreves a ignorarnos? ¡Llueve, cielo holgazán!

Pero el cielo se limitaba a devolverles una mirada inexpresiva. No se dejaba intimidar. En realidad, una de las cosas que más le disgustaba de las personas era su tendencia a amenazar. Así que el cielo se limitaba a mirar, como si no entendiera una palabra, y continuaba enviando el brillo de su rostro ardiente.

Muy pronto, casi no quedó agua. Los baldes que descendían a los pozos sólo regresaban con puñados de piedras. Las pozas que alguna vez habían sido ríos se convirtieron en charcos que alguna vez fueron pozas. Los peces se habían quedado sin casa. La tierra se hizo arena. Los pastizales, que debían arrojar brotes que crecerían fuertes y altos, se volvieron capas de polvo rojo intenso. Y para las personas, las plantas y los animales, no había nada que beber.

Cuando no hay nada que beber ni nada que comer, hay hambruna. La debilidad y el agotamiento se extienden por toda la tierra. Los seres vivos desfallecen pues no tienen fuerzas para permanecer de pie. Las personas y los animales de la tierra baldía ya no estaban enojados. Enojarse era demasiado agotador. Simplemente estaban abatidos y derrotados.

—Al cielo no le importamos —refunfuñaba la gente. Los huesos de toda cosa viva se asomaban con crueldad bajo la piel.

Sin embargo, no todas las personas estaban dispuestas a aceptar un destino sin agua. Una mañana, un pequeño grupo de personas se reunió a la sombra de un árbol jinjolero lleno de espinas. Habían decidido que ya era tiempo de dar al cielo una buena reprimenda. Debía darse cuenta de lo equivocada que era su conducta. No tenía derecho a pensar que podía hacer lo que le diera la gana cuando le diera la gana. Para mostrarle su indignación, subieron a la montaña más alta. Subir a la montaña fue una labor ardua que las dejó sedientas. El sol caía como plomo y se levantaba el polvo. Cuando llegaron a la cima, las personas estaban débiles y mareadas. Aun así, gritaron llenas de emoción al intenso cielo azul.

—¿A qué crees que estás jugando, cielo? —gritaron—. Mira el mundo. ¿Qué ves? ¡Un desierto cada vez más grande! Queremos el monzón: estamos en nuestro derecho. Tu tarea es proporcionárnoslo. ¡Así que haz lo que se espera de ti y llueve!

El cielo se inclinaba sobre la gente enfurecida.

—No lo haré —replicó.

—¿Cómo? —gritaron las personas—. ¿Por qué no?

—Porque no me lo pidieron por favor —respondió el cielo.

Las personas saltaron y chillaron de rabia.

—¡No necesitamos decirle por favor al cielo! Tu labor es hacernos felices. Si no, ¿para qué sirves?

—Yo les sirvo mucho más a ustedes que ustedes a mí —contestó el cielo con voz lúgubre—. ¡Fuera! Ustedes piensan que el mundo entero está a su disposición.

Las personas saltaron de rabia un poco más, luego lloraron y suplicaron lastimeramente, y prometieron portarse bien, pero el cielo no quedó convencido. Ya había visto a otros romper sus promesas. Finalmente, a la gente no le quedó más remedio que bajar vacilante por la ladera. Algunas personas lloraban. Otras ideaban un plan.

—Si el cielo egoísta no quiere escuchar a las personas, quizá quiera escuchar a los animales. Ellos también tienen sed.

Así que buscaron a la criatura más impresionante que conocían: el poderoso elefante. Le dijeron lo que debía hacer. El elefante estuvo de acuerdo. Escaló la montaña trabajosa y lentamente y luego se detuvo, balanceándose en la cima. Alzó la trompa y barritó para atraer la atención del cielo.

—¡Cielo! —bramó—. ¡Mira cuán grande soy! ¡Podría aplastarte con una sola pata! ¿Por qué no llueves, perezoso? ¿Le temes al trabajo pesado? Yo no le temo al trabajo pesado. ¡Yo soy fuerte y formidable! Puedo derribar casas y árboles. Con mis pisotones podría convertir esta montaña en escombros. Si no traes el monzón ahora mismo, te exprimiré el agua con la trompa.

—Elefante —dijo el cielo—, es cierto que eres fuerte. Eres magnífico y por eso la gente te venera. Pero eres tan arrogante como ellos. Al igual que ellos, usas tu poder de manera incorrecta. Puedes tratar de exprimirme el agua, pero no creo que lo logres.

El elefante, seriamente ofendido, intentó rodear el cielo con su trompa y exprimirlo con todas sus fuerzas. Pero a pesar de que podía ver el cielo, no podía tocarlo. El cielo estaba hecho sólo de aire, y ni siquiera la increíble fuerza de un elefante puede exprimir el aire para sacarle un monzón. El elefante se esforzó todo el día y toda la noche, porque no le gustaba fallar en ninguna tarea que se le pusiera delante. Sin embargo, al final reconoció su derrota y descendió la montaña, avergonzado.

Un hermoso tigre, enterado de su intento para hacer que el cielo lloviera, esperaba al elefante al pie de la montaña. Vio cómo el elefante, derrotado, se desplomaba en el suelo como un bulto. Para manifestar su disgusto, mostró sus invencibles dientes.

—Si quieren un trabajo bien hecho, pídanle a un felino que lo haga —dijo, y subió saltando por la montaña.

En la cima, el aire era bochornoso.

—Cielo —ronroneó el tigre—, soy yo, el magnífico. ¿Dónde está la lluvia, cielo? Tigre no solamente quiere beber: tampoco hay estanques que reflejen su hermoso semblante. El mundo entero me teme, cielo, y con razón. Tigre es hermoso, pero también temible. Tigre es terrible con sus colmillos y sus garras. Y si no te apuras con el monzón, cielo, te daré una muestra de cuán terrible puede ser tigre.

El cielo sopló una brisa que desordenó los bigotes del tigre.

—Eres hermoso en verdad, tigre. Es una lástima que seas tan hipócrita y cobarde. Empleas tus dientes y tus garras sólo contra los seres más débiles que tú, contra las criaturas que no pueden defenderse. Y siempre atacas por detrás.

Profundamente humillado, el tigre rugió con furia. Saltó hacia el cielo, con las fauces abiertas y mostrando las garras. Pero el cielo es inalcanzable: las garras no pueden dañarlo ni los dientes asirlo. Aunque el tigre brincó 100 veces hacia el cielo, éste permaneció impasible, sin un rasguño. El felino que se arrastró colina abajo sólo daba lástima.

Al pie de la montaña, se hallaba una lustrosa serpiente enroscada. Observó fríamente y sin parpadear cómo se escabullía el tigre. Se guardó su opinión como suelen hacer las serpientes. Con toda calma, se deslizó entre los pedruscos esparcidos por la ladera. No tenía prisa por llegar a la cima. Estaba segura de que, con sólo susurrar una palabrita al oído del cielo, el mundo se encontraría pleno de lluvia. Quizás hasta habría una pequeña inundación antes de que la serpiente se deslizara montaña abajo.

—Cielo —susurró desde la cima sin viento—, soy yo, la serpiente, tu amiga.

El cielo soltó una sonora carcajada.

—Serpiente —expresó—, a ti sólo te gusta decir falsedades. No eres amiga de nadie que no seas tú misma. En tu frío corazón únicamente ves por tus propios intereses. Mejor vete, pequeña serpiente, y ocúltate bajo una piedra.

A diferencia del elefante y el tigre, la serpiente no gastó su energía en discusiones, ni intentó morder al cielo. No tenía sentido y desperdiciaría veneno. En silencio, se deslizó montaña abajo, furibunda, y se cubrió la cara con su caperuza negra cuando pasó junto a la multitud reunida alrededor del árbol jinjolero.

Entre la muchedumbre había un recién llegado: un joven perro amarillo, rebosante de entusiasmo e impaciente por hablar con el cielo. Subió la montaña a todo galope, con la lengua ondeando al aire como un estandarte.

—¡Cielo! —ladró—. ¡Por favor, mírame! ¡Por favor, préstame atención! Mira a todas esas pobres personas que están allá abajo, cielo. ¿Por qué no las quieres tanto como yo? Yo las quiero, ¡oh, sí!, las quiero. Si yo fuera el cielo, y la gente quisiera lluvia, ¡yo haría llover! ¡Lo haría sólo para darles gusto! ¿Qué pasa contigo, cielo? Tú no eres fiel. No estás bien entrenado. Eres bastante desobediente. ¡Probablemente tienes pulgas!

—Perro —suspiró el cielo—, sabes que me encantas, porque a veces eres encantador. Pero no te faltan defectos. Eres tan leal que llegas a ser estúpido. No tienes opinión propia.

—¿Qué es una "opinión-propia"? —preguntó el perro—. ¿Se come? ¿Puedo enterrarla? ¿Puedo correr tras ella?

—Vete, perrito —dijo el cielo, fatigado—, vuelve con tus amos. Diles que ya no quiero oír hablar del monzón.

Todo este parloteo sólo me fastidia. No he visto ni oído nada que demuestre que merecen lo que piden.

El perro le ladró al cielo sin parar durante varias horas, pero el cielo fue inflexible. Finalmente, el perro bajó la montaña trotando y dio a sus amos el mensaje del cielo.

—Vaya —murmuró la gente—, estamos perdidos.

En ese momento, un burro, que había permanecido bajo un pequeño trecho de sombra durante todo el día, salió, con cautela, a la luz del sol. Las personas y los animales lo miraron con severidad.

—¿Adónde crees que vas? —le preguntaron bruscamente—. ¡Ni te atrevas a escalar esa montaña! Las cosas ya están bastante mal como para que encima tú nos hagas parecer unos tontos. Tenemos hambre y sed, pero no hemos perdido la dignidad como para que un burro apolillado tenga que interceder por nosotros.

Así que el burro dio marcha atrás. Permaneció en silencio mientras el día se consumía y caía la noche, la temperatura refrescaba un poco, y tanto personas como animales se quedaban dormidos. Entonces el burro abandonó su lugar bajo el árbol jinjolero y subió por la ladera de la montaña.

Era una noche estrellada. El cielo se había tornado azul pantera. No había una sola nube que manchara el brillo de la luna. El burro miró hacia abajo desde la cima y vio el árido mundo que se extendía bajo sus pezuñas. Vio extensas dunas y palmeras, concavidades llenas de arena donde antes hubo lagos. Vio casas abandonadas y rebaños de vacas esqueléticas.

—Burro —el cielo empezó a hablar de repente con gélida ira—, ¿a qué viniste? Le dije al perro que nadie debía venir a verme.

El burro agachó la cabeza y tembló, pero no salió huyendo. El cielo lanzó llamas negras y púrpuras de agitación, y dijo:

—¿Como a los demás, te enviaron a amenazarme? Estás perdiendo el tiempo. No te tengo miedo, burro. Puedes patalear y rebuznar hasta que las orejas te repiquen, pero no lograrás nada.

El burro no contestó, tan sólo miró con timidez al cielo. En ese momento, el cielo entendió que las personas y los animales no habían enviado al burro a la cima. El cielo sabía que las personas y los otros animales despreciaban a los burros. Pensaban que los burros eran unas bestias brutas, de cabeza dura y necias. Seguramente por orgullo no permitirían que semejante criatura intercediera por ellos. El cielo se agitó, y se puso a reflexionar. Su color cambió a negro, como una pantera. Dijo:

—Burro, has venido aquí, exponiéndote a mi ira, para suplicar que llueva. No obstante, el monzón sólo beneficiará a quienes te maltratan. A los burros los desprecian por tontos y testarudos. Los obligan a llevar fardos pesadísimos, los azotan hasta dejarles la piel llena de cicatrices. Les dan la comida más burda, y en escasa cantidad. Cuando ya están demasiado cansados para trabajar, se deshacen de ustedes. Su vida puede ser muy ingrata, burro. A menudo no los tratan como criaturas sensibles, sino como un montón de barro inanimado. ¿No sería mejor, burro, que este mundo despiadado se marchitara y simplemente se lo llevara el viento?

El burro dirigió la mirada hacia las estrellas, y alzó la voz con valor:

—Es verdad que he conocido el sufrimiento, cielo. Por eso no soporto verlo.

El cielo se sorprendió.

—Los que te han tratado sin piedad, burro, ahora experimentan la falta de compasión en su propio pellejo. Deberías sentirte feliz.

El burro negó con su despeinada cabeza.

—No me siento feliz. El sufrimiento de los demás no me causa ningún placer. Prefiero soportar yo mismo el sufrimiento antes que ver a los demás padeciendo por mi culpa.

El cielo se conmovió con las palabras del burro. Se arremolinó alrededor de las pezuñas del animal, levantando torbellinos de polvo. En voz baja, dijo:

—Muchas veces volteo a ver el mundo y me siento desesperado. He visto las cosas deplorables que las personas se hacen unas a otras. No traje el monzón porque pensé que nadie se merecía una casa bonita.

Como solamente vi corazones estériles, pensé que no merecían sino un mundo estéril. Pero veo que tu corazón no es así, burro. Tú soportas muchas cosas imperdonables, y sin embargo perdonas. Y si tú, un simple burro, puedes tener misericordia, entonces ciertamente yo, el cielo infinito, también puedo ser misericordioso. Acércate, burro, déjame verte.

El burro se subió a la punta de la peña más alta. Una brisa fresca le desordenó las crines y sacudió la punta de su cola. El cielo dijo:

—Los inocentes y los débiles siempre sufrirán en manos de los malvados y los fuertes. Algunas personas nunca aprenderán a tratar la vida como se debe: con justicia y benevolencia. En este mundo siempre habrá gente sola, asustada, oprimida, perdida. Y mientras todas estas personas lleven sus penas a cuestas, prometo que el mundo será hermoso ante sus ojos: haré que los pastos sean de color esmeralda, y los ríos, anchos y profundos. Las mariposas adornarán el aire como si fueran lentejuelas, los pájaros cantarán con alegría. Nunca más volveré a detener el monzón. La lluvia correrá como lágrimas que salen de mí, y hará de la Tierra un jardín. En tu honor, burro mío, haré que las nubes de las tormentas sean siempre grises, como el color de tu pelaje.

El burro inclinó su lanuda cabeza. Sintió que la brisa refrescaba aún más. A lo lejos, la estela perlada de un rayo relampagueó en el horizonte.

—Vete rápido, pequeño burro —dijo en un susurro el cielo que se retorcía—. Creo que pronto lloverá. Y cuando la lluvia caiga, recuerda que no caerá por quienes piden todo, sino por aquellos que piden tan poquito.

Entonces el burro dio la media vuelta y descendió la montaña mientras las primeras gotitas de lluvia golpeaban el suelo reseco. Las gotas fueron creciendo rápidamente hasta alcanzar el tamaño de piedritas. En un instante, la tierra se tiñó de negro y riachuelos minúsculos comenzaron a correr entre las piedras. El agua empapó el polvoriento pelaje del burro y trajo consuelo a sus cansados huesos. Pronto la lluvia se volvió impetuosa y apremiante como una cascada. De las anegadas grietas del suelo se desprendía un aroma a nuez moscada y vainilla.

En los días que siguieron, hojas nuevas empezaron a adornar los árboles, y las flores moteaban la tierra que reverdecía. Tanto personas como animales bailaban alrededor del espinoso árbol jinjolero. Todos se bañaban bajo la lluvia que caía a cántaros, y al mismo tiempo abrían la boca para atrapar las gotas. Cantaron, gritaron y se felicitaron unos a otros. Estaban plenamente convencidos de que habían vencido al cielo, de que sus amenazas lo habían forzado a traer el monzón. Ni siquiera notaron que el burro pasó entre ellos, para regresar a su sitio junto al árbol. Se detuvo bajo las ramas que chorreaban agua, como si nunca se hubiera movido. En medio de la muchedumbre ruidosa y exultante, bajo un cielo turbulento y espumoso, empapado por la atronadora y torrencial lluvia, el burro permaneció de pie, sereno, como una mota de silencio.

9

El hombre de las ideas

Pascal intentó mostrarse cortés, pero la historia lo había decepcionado. Esperaba que el soldado contara fascinantes aventuras de la guerra y no cuentos de burros que conversaban con el cielo. Le habría gustado más un relato de ametralladoras y bayonetas.

Cocó tampoco estaba contenta.

—No es justo. ¡Pobre burro! ¿Por qué debe sufrir?

—No es más que una historia —dijo Pascal para consolarla, pero ella le lanzó una mirada fulminante.

—El burro salvó a todos, Cocó —dijo Marcelle—. ¿Preferirías que el mundo entero se hubiera secado y se lo hubiera llevado el aire?

—Sí —respondió Cocó furibunda—, ¡lo preferiría mil veces!

Pascal se rio de ella.

—Te estás portando como una niña tonta, Thérèse —dijo—. ¿No cree usted, Teniente?

—Cocó nunca es tonta —contestó el soldado.

Pascal decidió que ya era tiempo de dejar el tema de los burros. Dijo:

—Hábleme de la guerra, Teniente. ¿Ha peleado en el frente?

El soldado se llevó el último pedazo de queso a la boca y respondió:

—Sí.

Todavía sentado en la piedra, Pascal se inclinó hacia el soldado.

—¿Qué fue lo que vio allá? ¿Qué hizo? ¿Ha disparado una metralleta? ¿Mató a alguien? ¿Ha estado en el desierto? ¿Ha viajado en un buque de guerra? ¿Recibió medallas? ¿Arrojó alguna granada?

—Pascal —lo regaño Marcelle—, ¡no le hagas esas preguntas!

Pascal ignoró a su hermana.

—¿Es cierto lo que dicen, Teniente: que el enemigo va a ganar la guerra?

El soldado sabía que debía tranquilizar al muchacho y decirle, por supuesto, que el enemigo no ganaría la guerra. En vez de ello, dijo honestamente:

—No lo sé, Pascal. Sólo sé que la lucha es aterradora.

—¡Cuénteme! —Pascal contuvo el aliento—. En el pueblo nadie sabe nada. *Madame* Hugo, nuestra maestra, hace como si la guerra no existiera. Dice que los niños no deberían pensar en esas cosas. Pero yo quiero saber todo sobre la guerra.

—Cállate, Pascal —protestó Marcelle—. ¡Estás molestando a *monsieur* Teniente con estas preguntas! ¡Él no quiere hablar de la guerra! La guerra es espantosa, como dice papá. ¡No se la recuerdes a *monsieur*!

—¡Sabía que esto pasaría! —exclamó Cocó llorando amargamente—. ¡Todo se echó a perder! Este sitio era muy bonito, ¡era nuestro lugar, Marcelle! Y ahora de lo único que podemos hablar es de las estúpidas armas. Es tu culpa, te dije que no trajeras a Pascal.

El hermano y las hermanas se miraron con odio. El soldado se puso a lamer el sabor a queso de sus dedos pulgares, y dijo:

—Gracias por el día de campo, Marcelle. Fue muy amable de tu parte habérmelo traído. No puedo imaginarme qué habría pasado conmigo si tú y Cocó no me hubieran encontrado.

Marcelle sonrió radiante.

—Siento mucho que la comida no fuera abundante, *monsieur*. Mañana le traeremos más.

—Sí —Pascal se puso de pie, sacudiendo la tierra del pescado—. Se acerca la noche; debemos regresar a casa. Volveremos mañana, en cuanto podamos.

—¡Marcie ya dijo que volveríamos! —gritó Cocó.

Su hermano prosiguió sin alterarse.

—Ojalá pudiéramos ocultarlo en un granero o en un sótano, Teniente. En algún lugar donde usted pudiera estar a salvo de las inclemencias del tiempo. Pero alguien podría encontrarlo y eso ocasionaría problemas. Mañana, cuando vengamos, silbaré así —Pascal frunció los labios y silbó melodiosamente—: ésa será nuestra contraseña secreta. Cuando la oiga, sabrá que somos nosotros. Si usted llegara a escuchar pasos, pero no el silbido, deberá quedarse quieto y procurar hacerse invisible.

Marcelle estaba enfadada por no haber pensado en usar un silbido como contraseña, pero también estaba orgullosa de lo listo que era Pascal por haber tenido esa idea. A Cocó también le encantó la idea: una contraseña secreta hacía que todo fuera misterioso y arriesgado. Practicó el silbido para sí.

—Buen intento —dijo Pascal—, pero no estuvo del todo bien. Sólo yo puedo hacerlo correctamente. Mañana, cuando vengamos, será mejor que yo silbe. Si no, el Teniente se confundirá.

—Está bien —dijo Cocó a regañadientes.

Marcelle se estrujó las manos.

—Quisiera que usted estuviera mucho mejor abrigado, *monsieur*. Quisiera que sus botas y su manta estuvieran secas. Quisiera que no hubiera llovido.

—El Teniente Shepard es un soldado —contestó su hermano—. Un soldado es fuerte. A un soldado no le molestan las botas mojadas. Como sea, eso ocurrirá pronto. Creo que ya sé cómo ayudar al Teniente para que llegue a su casa.

—¡Oh, no! —chilló Cocó.

—¿Cómo vas a ayudarlo? —preguntó Marcelle con un grito sofocado.

Pascal habló con aire de superioridad:

—Mañana les diré mi plan, o tal vez pasado mañana. Necesito afinar los detalles. Quizá tenga que decirle a alguien más que usted está aquí. Sólo a otra persona, ¿está bien, Teniente?

El soldado asintió con la cabeza, aunque el corazón le dio un vuelco. En las palabras de Pascal oyó que su apuesta por la libertad se derrumbaba. Otra persona le contaría a otra persona, que le contaría a otra y a otra y a otra. Pronto habría una muchedumbre reunida en el bosque mirándolo como si fuera un bicho raro y desagradable. Pronto alguien se daría cuenta de que los ojos del soldado no estaban realmente ciegos, sino cansados de ver, y que se resistían con obstinación a ver. Pronto alguien decidiría que un hombre que a todas luces no era un bicho, en realidad debería estar peleando en el frente.

—Lo que consideres mejor, Pascal —respondió en voz baja.

—Buenas noches entonces, Teniente —respondió Pascal, saludando al soldado con un gesto airoso, a pesar de que el soldado no podía verlo.

—Aquí está el burro de plata, *monsieur*.

El soldado sintió que unos pequeños dedos rozaban los suyos y, a continuación, el cálido peso de su amuleto de la suerte que Cocó le había puesto en la palma de la mano.

10

El frente

Solo, en el silencioso bosque nocturno, al soldado le fue fácil recordar la guerra. En medio de la bruma que nublaba sus ojos, vio los colores de la guerra. Más allá del silencio de la noche, escuchó los gritos de batalla.

El soldado podría haberle contado a Pascal algunas anécdotas de la guerra.

En cuanto lo pusieron al mando, el soldado se aprendió el nombre de los 30 hombres a quienes comandaba; pensó que todos los oficiales deberían hacerlo. Además de esto, procuró recordar ciertas cosas que diferenciaban a cada hombre de sus compañeros. Tommy Drake criaba peces dorados. Joe Webster tallaba muebles de madera. Eddy Hobbs tenía dotes para el dibujo. Arthur Harris sabía tocar la flauta. A Will Palmer una reja en movimiento le había arrancado la punta del pulgar izquierdo. Eran cosas difíciles de recordar, pero el Teniente se obligó a hacerlo. No creía que fuera correcto enviar a un hombre a la batalla sin preocuparse por saber algo de él.

Las trincheras donde él y su sección vivían eran profundas, angostas y sucias, y se extendían a lo largo de los campos como una odiosa telaraña. Era muy fácil perderse en la lúgubre red de pasajes. Las trincheras, que apestaban a tierra mojada y a putrefacción, les recordaban un cementerio a los soldados. En ocasiones, las paredes de las trincheras se derrumbaban, y todos se ponían a cavar a gran velocidad para rescatar a los hombres que habían quedado sepultados.

El enemigo tenía sus propias trincheras. El ruido del fuego de artillería y de los cañones era repetido, pero en los escasos momentos de quietud, se podía oír a los del bando enemigo hablar, reír y preocuparse juntos. Los soldados enemigos parecían jóvenes, unos tenían voces frescas de chicos. El Teniente supuso que algunos de ellos tocaban la flauta, o tallaban madera, o sabían dibujar; y que todos tenían un padre y una madre que los esperaban y se preocupaban en casa.

Aquí y allá, a lo largo de las trincheras, se habían escarbado, en las paredes cenagosas, fosas del tamaño y la altura de un hombre. Las fosas eran para dormir, aunque dormir era casi imposible. Había demasiado ruido y mucha tensión. Cuando el Teniente Shepard cabeceaba, soñaba que despertaba y encontraba las trincheras desiertas, pues sus compañeros lo habían abandonado para que él solo combatiera al enemigo.

A veces pasaba una semana sin que los hombres pudieran descansar ni quitarse las botas. Todos se tapaban la nariz. Se reían de sí mismos, del estado de barbarie en el que vivían. Pero su risa se desvanecía cuando veían sus pies, tobillos y dedos descarnados por el roce.

Siempre tenían hambre y sed. El ejército les daba carne de res enlatada y galletas. Las galletas estaban tan duras que les despostillaban los dientes. La lluvia llenaba los tazones que sacaban del lodo y los soldados sumergían los dedos en ella.

Los mejores y más maravillosos días eran cuando llegaba el correo. Los más afortunados recibían paquetes con libros, pañuelos, almendras, jabón y calcetines tejidos, limpios y acogedores. El correo traía otras cosas preciadas: cartas de casa. El soldado que no recibía nada hacía esfuerzos por no llorar. Los demás sentían pena por él.

Los hombres habían sido unos extraños cuando inició la guerra. Pero con el paso de los meses, y después de vivir hombro con hombro en las trincheras, compartiendo bromas y recuerdos, soñando con la vida después de la guerra, se hicieron amigos. Llegaron a tenerse confianza y a preocuparse unos por otros. Con el tiempo, se volvieron hermanos. Sabían que pelearían y hasta morirían para protegerse entre ellos. Al Teniente le pareció milagroso que algo terrible como la guerra pudiera forjar lazos tan inquebrantables entre desconocidos.

Y en efecto, pelearon y murieron.

A veces, el Teniente Shepard pensaba que la guerra no era una batalla entre hombres, sino entre dioses o demonios poderosos e invisibles que utilizaban a los hombres como carne de cañón. Estos dioses o demonios no eran conscientes: más bien parecían niños mimados que trataban sus juguetes con brusquedad, sin ningún cuidado, pues sabían que lo que se rompiera o se perdiera sería sustituido mágicamente. No les importaba que los soldados apenas fueran unos chicos, que tuvieran madre y padre, hermanos y amigos, esperanzas y deseos, novias y mascotas. Las órdenes llegaban y los soldados tenían que ir a la tierra de nadie, con los rifles a la cadera. En las trincheras dejaban cartas dirigidas a casa. En ellas decían: "Cuídate, querida, volveremos a vernos algún día".

Pero los responsables de la guerra no eran dioses ni demonios: sólo eran hombres comunes. Estos hombres comunes daban órdenes y los soldados obedecían valerosamente, hundiéndose en la tierra cenagosa en un desesperado intento de arrebatar al enemigo un puñado de tierra. En la maloliente tierra de nadie, lo único que separaba a un soldado de su enemigo era el color de sus uniformes.

Pero los hombres también caían en otros lugares. Un soldado podía ir a visitar al capellán, para que le vendaran una herida o para contar un chiste. Y si se hallaba en el lugar equivocado, ya no regresaba. Proyectiles enormes rugían desde el cielo. La lluvia de metralla caía como navajas. Los francotiradores saltaban veloces como liebres. Fue así como los 30 hombres del Teniente cada vez fueron menos, y los sobrevivientes se convirtieron en empedernidos creyentes del destino. Cada bala que pasaba silbando sin herirlos los hacía más duros, más listos, más rápidos. A su Teniente le asombraba cuán valientes eran. El propio Teniente pensaba que cada bala que no lo hería simplemente lo acercaba a una que sí le causaría una herida grave.

Los hombres del Teniente Shepard eran rudos, listos, rápidos y valientes, demasiado buenos para ser desperdiciados: pero de todos modos serían desperdiciados, el Teniente sabía eso, porque la guerra sólo es un desperdicio.

Su sección, al igual que muchas otras, recibió la orden de abandonar las trincheras y adentrarse en la tierra de nadie. En algún lugar, alguien debía de tener un gran plan: al Teniente sólo le contaron una pequeña parte. Él y sus hombres estarían entre los numerosos hombres sin rostro que, como ratas, se arrastrarían formando un gran semicírculo para sorprender al enemigo por detrás. La idea sonaba frágil y temeraria. Durante las horas previas al ataque, los hombres estaban desanimados. Escribieron cartas a sus esposas, a sus familias. Trataron de encontrar las palabras adecuadas. No estaban acostumbrados a poner sus sentimientos en papel. Leyeron sus cartas al Teniente.

—¿Qué tal le suena esto, señor Teniente?

El Teniente escribió su propia carta.

"Queridísima madre:

Parece que estamos a punto de embarcarnos...".

En medio de la neblina que se disipaba con la luz del amanecer, recibieron la señal: la sección del Teniente Shepard ocupó su sitio detrás de las demás y partieron. Avanzaron por las barracas oscuras y el terreno pantanoso. Llevaban el rifle cruzado sobre el pecho. El suelo estaba resbaladizo y cenagoso. Los hombres se tomaban del brazo para no caer. Cuando iban pasando por un grupo de árboles torcidos, un cuervo se echó a volar. El Teniente vio cómo se alejaba aleteando. No recordaba cuándo había sido la última vez que había visto un ave. De repente, recordó los petirrojos que escarbaban el suelo detrás de la ventana del comedor de su casa.

La neblina yacía espesa: los hombres permanecían juntos. Nadie hablaba. El cielo se veía veteado, ahumado y ácido. Era imposible ver más allá de algunos pasos. Negros árboles se torcían hacia el cielo desde el lodo. La cara del Teniente estaba húmeda. Los hombres caminaban en silencio, como zorros en el bosque.

Alcanzaron al enemigo inesperadamente. Nadie estaba preparado. Hubo gritos de sorpresa de ambas partes. Una llamarada rubí relampagueó contra el cielo. El Teniente vio sombras de hombres que caían. Por un momento, todo fue confusión. Los oficiales gritaban para imponer orden. La tierra estalló cuando los proyectiles se precipitaron contra el suelo, esparciendo fango por el aire como si fuera espuma de mar. El Teniente pensó en olas espumosas que golpeaban una playa rocosa en la orilla desgarrada del mundo.

Estaba donde debía estar, a la cabeza de su sección. Súbitamente, los proyectiles explotaron en un círculo de fuego a su alrededor. El impacto hizo que las piernas se le doblaran, y su barbilla pegó contra el suelo. Cayó en un agujero poco profundo entre la porquería y ahí se quedó. Era un sitio tan protegido como cualquier otro. El cielo lanzaba destellos ámbar y turquesa. Buscó a sus hombres desesperadamente y los vio tirados en el fango como muñecos, con los brazos y las piernas doblados en todas direcciones. Algunos jadeaban y se retorcían en silencio; la mayoría yacía inmóvil. Los dioses y los demonios habían pasado sus garras por su sección; el Teniente Shepard gritó horrorizado. No pudo escuchar su propio grito de desesperación. Él y sus hombres se habían quedado sordos por los proyectiles.

En medio de la luz llameante y el silencio vio hombres que corrían. Vio cómo el lodo salpicaba el cielo y cómo se desprendían ramas retorcidas de árboles enormes. En la oscuridad, un centenar de rifles escupían fuego blanco. Piedras y uniformes se encendieron en un fuego rojizo. Las sombras de hombres continuaban cayendo. Daban volteretas y se deslizaban en el lodo. Otras sombras iban avanzando presurosas hacia el amanecer sin que nada las detuviera. Sus rifles las guiaban sin ninguna precaución. El ruido de la guerra era atronador, pero para el Teniente Shepard la batalla no tenía sonido. El tiempo parecía correr más lento, o hacia atrás, o acabarse.

El Teniente oyó un tañido: había recuperado el sentido del oído. La tierra de nadie hervía en un caos profano. Escuchó gritos frenéticos, aullidos de rabia y desaliento. Escuchó los relinchos indómitos de los caballos aterrorizados. Escuchó gritos lastimeros de agonía, y en el aire, la estridencia de la artillería. Sobre todo escuchó los rifles y el sonido sordo de las sombras que se desplomaban en el lodo.

Entonces logró escuchar algo más: un rumor suave a sus espaldas.

—Teniente, Teniente.

Estiró el cuello para ver sobre su hombro: a sus pies había un hombre joven encorvado. La sangre lo cubría y empapaba su uniforme. El Teniente se esforzó por recordar cómo se llamaba, pero sólo le vino su nombre de pila a la cabeza: Ernie. Ernie era especial porque trabajaba en el taller de reparación de bicicletas de su familia. Le había ofrecido al Teniente Shepard que si algún día llegaba a tener una bicicleta inestable, él se la compondría sin cobrarle.

—Teniente, Teniente —Ernie temblaba, agitando las manos.

El Teniente desvió la mirada al campo de batalla. El tronco de un árbol se desprendió de sus raíces y salió volando al cielo. Las dagas que formaban las astillas de la madera despedazada cortaban el aire como cuchillos de circo. Fragmentos de tierra se desprendían de sus raíces torturadas. Allá, en la lejanía, un hombre erguido alentaba a sus soldados a continuar. Sus brazos se movían como si fueran aspas de un molino de viento. Luego cayó.

—Teniente, Teniente.

El Teniente miró con impaciencia a Ernie. Quería decirle "¡Silencio!". Quería decirle al chico moribundo que tuviera la decencia de morirse en silencio. ¿Acaso no se daba cuenta de que el Teniente tenía otras cosas en la mente?

Y cuando oyó estos atroces pensamientos en su cabeza, el Teniente se sintió avergonzado. Se imaginó al padre de Ernie en cuclillas junto a una rueda de bicicleta girando. Pronto llegaría un telegrama a la puerta del taller de bicicletas, y el padre de Ernie siempre se preguntaría cómo habrían sido los últimos momentos de su hijo. El Teniente no podía permitir que este muchacho se mezclara con el lodo sin escuchar sus últimas palabras.

Con la cabeza aún inclinada, se torció sobre su vientre y acercó su cara a la del muchacho.

—¿Qué pasa, Ernie?

—No estoy herido —la voz de Ernie era ardiente y seca; el muchacho tenía los dientes teñidos de rosa—. No estoy herido.

Murmuró algo que se perdió bajo el estruendo de los proyectiles. El Teniente protegió el rostro del muchacho de la salpicadura de tierra y metralla. El cielo ardía con un violento color. El muchacho tiritaba.

—¿Qué pasa, Ernie? —preguntó nuevamente el soldado al chico.

El muchacho inhaló con un estertor.

—En mi bolsillo.

Los soldados llevaban recuerdos en los bolsillos de sus uniformes, cerca del corazón. Amuletos de la suerte y fotografías, rizos y flores secas que habían traído de casa. En tiempos de peligro, les gustaba tenerlos cerca. El Teniente se arrastró para desabotonar el bolsillo de Ernie. Cuando lo tocó, el muchacho lanzó un alarido. Resonando por el campo, le contestó un coro de lamentos. El Teniente se dio cuenta de que se había manchado con la sangre de Ernie. El muchacho herido se estremeció.

—Mi bolsillo —insistió—, mi bolsillo.

El Teniente escuchó un grito frenético y unas balas pasaron rozando sus orejas. Desesperado, se cubrió la cabeza con los brazos: el fin había llegado, tal como sabía que sería. Angustiado, musitó plegarias y maldiciones con los ojos arrasados de lágrimas. No quería, nunca había querido morir.

Enseguida, los proyectiles se detuvieron.

El aire parecía repicar con el repentino silencio. El Teniente se asomó con precaución, mirando fijamente la neblina. Vio sombras de soldados que se levantaban del suelo. El Teniente las observó, y su piel se erizó de horror. Las sombras que se levantaban del lodo tenían la figura del enemigo.

—El bolsillo, el bolsillo.

Las sombras se alzaron como torres, altas y erguidas como titanes. Con descaro, cruzaron la tierra de nadie a grandes pasos. Caminaban separados, como cuervos en un maizal. Se detenían junto a los fardos que gemían tirados por tierra y los empujaban con las botas. Sus bayonetas brillaban en la oscuridad.

—Bolsillo.

El Teniente vio que un titán se volvía al oír la voz. Su rifle azul y negro se balanceaba a un costado. El Teniente amordazó a Ernie con una mano, pero el gigante había oído. Salió del humo para aproximarse a la zanja donde yacían los soldados.

El Teniente mantuvo su mano en la boca de Ernie. El muchacho luchó sin fuerzas. Quería decirle: "Mire en mi bolsillo, ahí hay algo sin lo cual no puedo vivir".

El Teniente escuchó el chapoteo del lodo bajo las botas del titán y su respiración áspera. Estaba cerca, muy, muy cerca. No había tiempo de hacer nada; no era posible cambiar nada. Al segundo siguiente, el soldado enemigo se acercaría, amenazante, a la zanja y los vería.

El Teniente se relajó y se dejó hundir en el lodo. Soltó su mano y la sintió resbalar de la mejilla de Ernie. Mantuvo los ojos abiertos. Estaba cubierto de sangre. Oró para parecer una sombra inerte en el suelo.

El soldado contuvo el aliento. Su corazón palpitaba triste y solo.

De repente, el gigante se encontraba ahí, en la orilla de la zanja.

El corazón del Teniente se detuvo.

—En mi bolsillo —dijo Ernie.

La bayoneta del gigante descendió como el relámpago. El Teniente no parpadeó.

Permaneció inmóvil durante lo que le parecieron horas. Incluso después de que los titanes se marcharon y de que en el campo no se escuchaba ningún ruido, siguió sin moverse. Sintió que el lodo subía por sus piernas. Sintió que se enfriaba. A su lado, Ernie estaba muy frío. Le dolieron los ojos y los cerró. Luego los abrió rápidamente, temeroso de la oscuridad.

Transcurrió más tiempo. El Teniente temblaba. Cayó un chubasco. Luego las nubes se despejaron y el Teniente vislumbró un suave cielo azul.

Sólo cuando un cuervo aterrizó cerca, se puso de rodillas con mucha dificultad.

La tierra de nadie era tal como se la había imaginado. Los pocos árboles que quedaban de pie eran horrendos, como garras de brujas. El campo era un cementerio de lodo, inerte y sin hojas. Dedos de alambre de púas arañaban el aire. Gordas moscas volaban pesadamente a ras del suelo.

El Teniente miró a Ernie. El bolsillo del muchacho estaba bien abotonado. Con manos temblorosas, el Teniente lo desabrochó. Imaginó que saldrían fantasmas y almas liberados. En vez de ello, dentro del bolsillo había una fotografía. Algunos soldados llevaban consigo fotografías de sus novias o esposas. Otros, de sus perros fieles. La foto de Ernie mostraba la fachada ordenada de un taller. En el umbral estaban un hombre, una mujer y dos niñas y, recargada junto a ellos, una bicicleta. Arriba de la puerta estaba pintado el letrero WHITTAKER: REPARACIÓN DE BICICLETAS. El nombre completo de Ernie era Ernest Whittaker. Era bueno recordarlo. Las personas de la foto eran sus padres y hermanas. La más pequeña se chupaba el pulgar. La madre miraba hacia un lado, con aire tímido. Su padre estaba erguido, orgulloso como un león. El Teniente acomodó la foto en la mano de Ernie.

Tambaleante, se puso de pie. Estiró sus congeladas piernas y se las frotó. Entonces comenzó a caminar en dirección a casa.

Tenía la intención de detenerse cuando llegara a las líneas de los aliados. Pensaba que, cuando encontrara las trincheras, se detendría, pediría un rifle y volvería a ser un soldado en guerra. En vez de eso, cuando llegó a las trincheras, se dio cuenta de que debía seguir avanzando y cruzar muchos kilómetros de campiña y mar para regresar a casa.

Alguien le dio una manta al verlo tan pálido. Debió haberse cubierto con ella y echado a dormir, pero no lo hizo. Encontró su mochila donde la había dejado y se la echó al hombro. Podría haberse detenido entonces, pero no lo hizo, continuó andando. En medio del tiroteo, de la gritería y de la detonación de los proyectiles, nadie notó que se había marchado.

Nadie notó, tampoco, que Ernest Whittaker se había ido.

Cuando había caminado varios kilómetros y la noche había caído, el soldado metió la mano en su bolsillo y sacó la brújula. Ahí guardaba, además, una caja de pasas, una carta de su madre, y algo más que había olvidado. Hurgó para sacar el objeto olvidado y encendió un cerillo para verlo. El burro de plata lo miró apaciblemente a través de la suave luz de la flama.

Entonces el soldado se sentó y se puso a sollozar, feliz de emprender el regreso a casa.

11

Comienza la campaña

A la mañana siguiente, la madre de los niños dijo durante el desayuno:

—No sé adónde se va toda la comida. Estoy segura de que ayer había un pedazo de queso en la alacena.

—¡Tal vez tenemos ratones en casa, mamá! —sugirió Marcelle—. Se meten a hurtadillas en la cocina mientras dormimos, y acaban con toda nuestra comida.

—Tal vez deberíamos tener un gato, mamá —dijo Cocó, pues quería tener una mascota.

—Creo que Marcelle tiene razón —replicó su madre—. Creo que sí tenemos ratones en la casa. Sólo que no son pequeños y peludos, de orejas grandes y cola larga. ¡Los ratones que tenemos en casa tienen forma de niños voraces!

Pascal, Marcelle y Cocó se miraron. Los tres sabían que tenían que ser cuidadosos para proteger al soldado del bosque.

—Fui yo, mamá —dijo Pascal—. Yo me comí el queso. Siempre tengo hambre.

—Tal vez Pascal tiene lombrices, mamá —sugirió Cocó con malicia.

—¡Cierra la boca, Thérèse! —dijo su hermano—. ¡Tú tienes lombrices en lugar de *cerebro*!

—¡Al menos no parezco lombriz, como tú!

—Cállense los dos —suspiró su madre—. Si tienes hambre todo el tiempo, debes de estar creciendo, Pascal. Gracias a Dios sólo hay un varón en la casa, y no un ejército entero. No tendríamos suficiente para alimentarlos.

—Lo siento, mamá. Trataré de no seguir creciendo.

—¿De todos modos podemos tener un gato, mamá? —preguntó Cocó.

Los niños habían holgazaneado esa mañana, y ahora se les estaba haciendo tarde para la escuela. La madre los sacó a empujones por la puerta y les pidió que se apresuraran, por temor a la severa opinión que *madame* Hugo tiene de los padres cuyos hijos llegan tarde a la escuela. Pascal, Marcelle y Cocó echaron a correr por las veredas adoquinadas con sus morrales balanceándose en sus espaldas.

—*Monsieur* Teniente se quedó sin desayunar otra vez —dijo Marcelle con pesar, pero no se preocuparon tanto, porque sabían que su soldado era fuerte.

De todos modos, Pascal parecía sumergido en sus pensamientos, y cuando las veredas los condujeron al pueblo y alcanzaron a ver a la distancia las paredes grisáceas y los tejados de las chimeneas del edificio de la escuela, él se detuvo de repente y sus hermanas voltearon a verlo.

—La situación es grave —anunció con seriedad—. Mamá está haciendo demasiadas preguntas. Pronto empezará a sospechar. Es tiempo de ejecutar la campaña de rescate.

—¿Cuál campaña de rescate, Pascal? —le preguntó Marcelle—. No nos has dicho nada.

—Sí, y nosotros encontramos al soldado primero —añadió Cocó.

La verdad, Pascal no necesitaba la ayuda de sus hermanas. Su brillante campaña de rescate podía resultar exitosa sin su ayuda. Pero a Pascal le gustaba que las cosas fueran justas y honestas: en el fondo, no le agradaba ser rencoroso ni mezquino. No quería romper el corazón de sus hermanas al dejarlas fuera de la emoción. Se escondió bajo el umbral del taller del vidriero y les hizo un gesto para que se acercaran. Les contó los detalles de su plan lo más quedo y rápido que pudo. Cocó se mordía el labio mientras escuchaba; Marcelle asentía con seriedad. Cuando terminó de dar su explicación, Pascal preguntó a sus hermanas:

—Bueno, ¿qué les parece?

Cocó miró a Marcelle.

—No estoy segura —contestó Marcelle, dudosa—. Yo no quisiera tener que contarle a nadie más sobre *monsieur* Teniente.

—Pero tenemos que confiar en alguien —dijo Cocó, tomando la mano de su hermana—. Si no, ¿qué más podemos hacer?

Marcelle asintió con reticencia. Cocó tenía razón. Sin ayuda, no podrían hacer nada.

—Creo que es una buena idea, Pascal —dijo.

—¡También yo! —gorjeó Cocó.

—¡Bien! —dijo Pascal, inflando el pecho—. Debemos darnos prisa. El Teniente no puede quedarse para siempre en el bosque.

—No —dijo Cocó—, tiene que volver a su casa. Su pobre hermano John lo está llamando.

—Necesitamos ayudarlo a escapar antes de que alguien más lo encuentre y lo envíe de nuevo a la guerra.

Cocó se llevó las manos a la cara al pensar en ello.

—¿Lo harían, Pascal? ¿Pueden hacerlo?

—¡Claro!

Marcelle dijo:

—Tienes razón, debemos apresurarnos. Necesitamos rescatar al soldado lo más pronto posible. Corre, Pascal, ¡corre!

Los tres niños partieron a todo correr. Marcelle y Cocó corrieron deprisa hacia la escuela. *Madame* Hugo frunció el ceño cuando irrumpieron por la puerta.

—¡Llegan tarde! —las reprendió con voz atronadora—. ¿Dónde está su hermano?

—En el establo, con papá —mintió Cocó con descaro—. Había problemas con una vaca.

Sin embargo, Pascal corría por las calles del pueblo a toda prisa, dejando atrás las fachadas de ladrillo de las tiendas, las puertas alegremente pintadas, las macetas con geranios y la vieja y sólida torre del reloj, hasta bajar volando los cientos de antiquísimos escalones de piedra que llevaban al muelle, a los botes de pesca y al ancho y verde mar.

12
El Teniente Shepard puede ver

Aquella tarde, el soldado escuchó un silbido familiar y levantó la mirada hacia los árboles. Había sido un día largo y extraño. Conservaba el burro de plata en su mano. Asirlo lo hacía sentirse protegido mientras recordaba la guerra. El liviano objeto en la palma de su mano lo hacía sentirse menos solitario.

Algo más sucedió: había recuperado la vista, aunque ligeramente, pues aún veía todo manchado de blanco. Pero entre la blancura, ya podía distinguir delicadas siluetas. Podía ver el contorno cambiante de las ramas y las hojas contra el cielo. El silbido de Pascal llegó acompañado de cuatro figuras alargadas e indistinguibles, que caminaron por la blancura como ángeles entre nubes.

El soldado oyó una risa tosca y palabras pronunciadas por una voz desconocida.

—¡Ah! —dijo la voz—. *Donc vous n'êtes pas l'invention du garçon*!

La ansiedad aceleró el corazón del soldado. La presencia de un extraño en el bosque lo puso muy nervioso. Aun así, sonrió con valor.

—Sí, soy real. No soy una invención de Pascal.

—*Bonjour*, Teniente —dijo el extraño—. Me llamo Fabrice. Es un orgullo y un honor conocerlo. Soy un viejo amigo de Cocó, Marcelle y Pascal. Ellos creen que yo puedo serle de ayuda.

—*Monsieur* Teniente, estoy aquí —intervino Cocó. No quería que el Teniente pensara que estaba solo con un desconocido.

—Yo también aquí estoy —dijo rápido Pascal.

—Y yo —dijo Marcelle—. Sentimos no haber venido antes. Papá nos hizo ayudarlo a limpiar el establo y Fabrice no podía venir hasta después de terminar su trabajo. Sé que debe de tener hambre. Le trajimos algo de comer. Me temo que no es mucho. Hay aceitunas, dos huevos duros y una jarra llena de leche del establo.

—Y yo traje una botella de cerveza —agregó Fabrice—. Pensé que, si usted era imaginario, yo podría tomármela.

Los niños se sentaron alrededor del soldado. Fabrice se recargó en un árbol. La vista del Teniente todavía no estaba lo suficientemente recuperada como para advertir que, aunque era joven, Fabrice tenía las piernas encorvadas de un viejo. Cuando era niño, le había dado poliomielitis. Los músculos de sus piernas se habían atrofiado sin remedio. Recorrer la campiña y el bosque con los tres niños lo había fatigado, aunque jamás lo diría.

Marcelle les quitó la cáscara a los huevos y se los dio al soldado, que no podía sostenerlos, pues tenía el burro en la mano.

—Cocó —dijo.

La niña extendió la mano inmediatamente y el burro de plata saltó a su palma. La recorrió en círculos, rebuznando y coceando con sus patas parecidas a unos palillos. Cocó se imaginó a sí misma encogida y pequeñita, cabalgando montada en su lomo. La niña diminuta y el pequeño burro recorrían las colinas a medio galope, pasando junto a algunas vacas de color rubio oscuro y varios patos que graznaban. También pasaban junto a la mamá, que estaba atónita, y a un lado del papá, que estaba asombrado. Con las manos bien aferradas al pelambre enmarañado, dejó que el burrito corriera libremente, a toda velocidad.

Fabrice estaba diciendo algo.

—Pascal me contó su historia, Teniente Shepard. Sé que desertó de la guerra. Sé que se dirige a casa para ver a su hermano. Sé que necesita cruzar el Canal. Sé que no puede ver.

El soldado asintió sin hablar y le dio una mordida al huevo. No le dijo a Fabrice que estaba recuperando la vista. Pensó que a él le daría risa la idea de que la guerra había sido una visión tan terrible que sus ojos habían deseado dejar de ver; aunque el tiempo pasado en la fresca cuna del bosque le estaba devolviendo la fe en la belleza del mundo. Esto podía contárselo a Cocó, a Marcelle y a Pascal, pero alguien adulto probablemente se burlaría. El soldado no tenía más remedio que confiar en Fabrice, ya que necesitaba la ayuda de un adulto. Sin embargo, sentía que las cosas habían cambiado y parecían más peligrosas ahora que había un hombre en el bosque.

—Todos tenemos nuestros problemas —dijo Fabrice meditabundo—. Yo tengo los míos. Mis piernas se tambalean como las de un títere. Yo desprendo percebes de los botes de pesca mientras mis amigos se convierten en héroes de guerra. Ni siquiera puedo pedirle a mi *amoureuse* casarse conmigo, porque no tengo para comprar un anillo de boda. ¿Verdad que no está bien pedirle a una chica casarse con un hombre que no puede darle un anillo de boda? Por las noches, sueño con un anillo que le daría envidia a una emperatriz. Veo los diamantes y el grabado. Lo veo reluciendo bajo el sol. Despierto decidido a vender todas mis posesiones para poder comprarle este anillo a mi amada. Pero sólo tengo mi motocicleta y no puedo venderla: la necesito, es mi sustento. La motocicleta es lo que tengo en lugar de unas piernas útiles.

El soldado se había acabado los dos huevos cuando Fabrice concluyó su discurso. Estaba convencido de que tener cojera y carecer de un anillo de boda eran preocupaciones mínimas en comparación con estar ciego y abandonado en un bosque. Pensó que despegar percebes de los botes parecía una manera más agradable de pasar los días, mucho mejor que andar salpicando por las trincheras y raspándose el lodo de las botas. Pero lo habían educado para ser cortés y respetar los sentimientos de los demás.

—Sí —dijo—, cada quien tiene sus problemas.

Pascal, mientras tanto, se aburría. Los percebes y los anillos de boda le parecían cosas muy aburridas. Se dedicó a quitar las ramitas y las hojas de la manta mugrosa del soldado. Entonces dijo:

—Teniente, háblenos de la guerra. ¿Cómo es la guerra? Apuesto a que muy emocionante.

Cocó y el burro de plata dejaron de galopar y se volvieron a mirar el camino que habían recorrido: kilómetros de bosques susurrantes y colinas soleadas y resplandecientes. Los ojos azules del soldado estaban puestos en ella. Cocó sonrió y lo saludó con la mano.

Marcelle dijo:

—No tiene que contarnos nada si esos recuerdos lo entristecen, Teniente.

Pero el soldado dijo:

—Si Pascal tiene tantas ganas de oír una anécdota de la guerra, ya sé qué historia les voy a contar.

Pascal sonrió y se acomodó en el suelo. Marcelle se tendió a su lado, con la barbilla entre las manos. Fabrice destapó la botella de cerveza y se la pasó al soldado. Cocó torció la crin del burro de plata y enfiló a toda prisa hacia las colinas.

13

La tercera historia

El chico nació en un pueblo costero. Su familia no era rica, pero eran felices. Se pasaba los días vagando por las calles y por la campiña con sus amigos. En el puerto había criaturas de acero gigantescas y fabulosas; más allá del pueblo, estaban las minas oscuras, donde retumbaba el estruendo metálico del mundo subterráneo. Sobre todo, estaba la playa, donde se podía atrapar cangrejos y construir castillos y a la que, en temporada alta, alegres turistas acudían en tropel para bañar sus pálidos cuerpos bajo el sol. Los hijos de los turistas pedían a gritos que los pasearan sobre los burros que recorrían la arena de un lado a otro.

Los burros llevaban sillas de colores y sombreros de paja adornados con listones; una vuelta costaba dos peniques. Para ganarse unas monedas, el muchacho le pidió al dueño de los burros que lo empleara como cuidador de los animales. Hasta ese momento, nunca se había interesado en ellos. Descubrió que le gustaban esas bestias apacibles y dóciles. Le gustaba su olor a trigo y sus ojos profundos y pensativos. Le gustaba su forma de doblar las orejas, como canoas ágiles y rápidas. En algunos libros de la biblioteca, descubrió que había burros de distintos colores y razas. Las razas tenían nombres extravagantes como Poitou, Anatolio y Provenzal Gris. El muchacho se llamaba simplemente Jack. Cuando se terminaba la temporada alta, lamentaba que se llevaran a los burros a una playa más soleada, en otro sitio.

Con el paso del tiempo, Jack creció y se olvidó de los burros. En su lugar, se despidió de su familia y se embarcó para cruzar el océano. Viajó en busca de aventuras. Fue a parar a un caluroso país en el otro extremo del mundo. Durante un tiempo fue feliz. Se puso curtido y bronceado. Era parlanchín, bromista y le simpatizaba a todos. Sin embargo, tras algunos años, Jack empezó a sentir nostalgia. Quería ver nuevamente a su anciana madre. Pero no tenía dinero y se encontraba muy lejos para llegar a nado. Empezó a pensar que no volvería a ver a su madre, a su padre, a sus hermanas y hermanos, ni el hogar de su niñez.

Entonces ocurrió algo: se declaró la guerra. Jack estaba encantado y se alistó de inmediato. La guerra se libraba del otro lado del mundo, exactamente donde Jack quería estar. Transportarían a los soldados en barco gratuitamente. El problema de Jack estaba resuelto. Pronto tomaría el té con su mamá.

Le dieron un uniforme y lo subieron a un barco, que atravesó el océano en dirección al hogar de Jack, pero cuando se estaban aproximando, el barco cambió de rumbo, balanceándose sobre los rayos de sol reflejados en el mar. En cuanto el capitán apagó los motores y anunció que habían arribado, Jack se asomó por la barandilla y vio el escarpado acantilado gris que se alzaba sobre las olas como una fortaleza. Estaba cubierto por una alfombra de maleza espinosa y surcado por colinas y cañadas. A sus pies, había una franja de arena blanca, y por encima de ellos, se extendía el cielo azul. Ordenaron a los soldados subir por el acantilado, pues era la única ruta para llegar a los campos del país extranjero que se encontraban del otro lado. Pero en la cumbre del acantilado, acampaba el enemigo. Desde esa posición ventajosa, perfectamente podía darse cuenta cuando alguien intentaba subir. Por ello las armas del enemigo apuntaban al agua y al acantilado.

Jack fue nombrado camillero, por ser fuerte y veloz. Cuando miró hacia el acantilado y el campamento del enemigo en la cumbre, supo que los camilleros estarían muy atareados. Muchos soldados caerían en su intento de escalar el acantilado. Otros ni siquiera llegarían vivos a la playa.

Algunos, sin embargo, lograron escalar un trecho del acantilado. El enemigo disparó implacablemente contra ellos. Los heridos se despeñaban y resbalaban por las rocas. Las metralletas salpicaban balas en el aire. Los hombres gritaban con rabia y miedo. El ruido era terrible y ensordecedor. Los soldados caían como piedras por el acantilado.

Los capitanes del ejército vieron que alcanzar la cumbre era imposible. Ordenaron atrincherarse a los soldados mientras ellos ideaban un plan mejor. Los hombres cavaron a la velocidad del rayo. Las trincheras eran seguras como una casa, comparadas con andar dando traspiés en el acantilado. Los hombres, apiñados, rezaban para que sus capitanes los salvaran de la terrible trampa en la que se encontraban.

Pero los capitanes no hicieron nada de eso. Temían abandonar el acantilado, pues el enemigo iba a pensar que huían. Así, los soldados permanecieron en las trincheras y el enemigo se apostó en la cumbre, rociando balas sobre ellos.

Durante los primeros días, cayeron unos dos mil hombres.

Como camillero, Jack pasaba el tiempo corriendo de arriba abajo por el acantilado. La tarea de los camilleros era trasladar a los soldados heridos a la playa; desde ahí los conducirían en botes a los buques hospital que los aguardaban. Los camilleros llevaban a un paciente y volvían a subir por el acantilado, esquivando las balas que pasaban volando a su lado. En la línea de combate, muchos hombres yacían heridos. Los camilleros no podían trasladar a todos los lesionados al mismo tiempo, y a veces no les quedaba más remedio que hacerlos esperar a que llegara la ayuda. Pronto, se dieron cuenta de que las camillas eran poco manejables y eso los hacía más lentos. Se deshicieron de ellas y ellos mismos empezaron a cargar a los heridos hasta la playa. Un joven fuerte como Jack podía echarse a un soldado a la espalda y descender el acantilado tan rápido como una gacela. Podía recostar al soldado en la playa y regresar a las trincheras en cuestión de minutos.

Rescatar a los heridos se convirtió en la razón de Jack para estar en el acantilado, en su razón para vivir. Corría como una liebre, brincando y rodeando las piedras. Cargaba soldados sobre sus hombros todo el día, y hasta entrada la noche. A veces se tropezaba y su pasajero herido gritaba. Otras veces sentía que su fuerza menguaba por falta de agua y buena comida. Le preocupaba llegar a sentirse demasiado débil para salvar a los hombres que necesitaban ser rescatados.

Entonces, un día, cuando Jack iba a toda prisa por un camino serpenteante que llevaba secretamente a la cima del acantilado, una pequeña sombra gris junto a unos arbustos llamó su atención. Era un burro que, de pie, mordisqueaba las hojas. Algunos burros habían viajado en los mismos navíos que los soldados, y eran utilizados para transportar suministros. Por lo general, los amarraban, pero éste había escapado. Jack contempló al burro comer plácidamente. Ni el peligro ni el ruido lo perturbaban. Jack recordó que, de niño, había conducido burros por la playa. ¡Qué buenos y dulces habían sido esos animales! ¡Cuán estoicos e infatigables! El recuerdo del noble árbol genealógico de la familia de los burros regresó a su mente de manera repentina. El Cotentin café, de nariz blanca como la nieve; el Poitou de pelaje largo, enmarañado e indomable. El pelo del Anatolio era del color de las piedras; el Provenzal Gris tenía una cruz conmemorativa. Jack sabía que los burros eran confiables, de paso firme y complacientes. Un burro podría llevar a los soldados heridos por las pendientes inseguras del acantilado, y difícilmente tropezaría o se cansaría. Con un burro a su lado, Jack podría rescatar a muchos más hombres que él solo. Tomó la cuerda que pendía del cuello del burro y lo llevó hacia el herido más próximo. Ayudó al hombre a subir al lomo del animal y le pasó un brazo por la espalda. Luego los tres —Jack, su herido y el burro— bajaron hasta la playa. Esquivaron balas y metralla y los agujeros del suelo. Los soldados se sorprendieron al verlos. El olor rústico del burro le recordó a Jack el pueblo donde nació, y el brillo del sol, la arena y el mar.

A partir de ese día, el burro siempre estaba junto a Jack. El hombre y el animal trabajaban juntos como un equipo. Inspeccionaban el acantilado cubierto de maleza en busca de hombres que necesitaran ayuda. El burro cargaba al herido y Jack lo guiaba por un camino seguro en medio de la batalla. Tan pronto como dejaban al hombre en la playa, regresaban a los escombros para levantar a la siguiente alma necesitada. Se aprendieron todas las bajadas y depresiones del terreno. Aunque las balas, la metralla y los francotiradores estaban por doquier, no alcanzaban a Jack ni a su burro. Jack nunca parecía asustado. Nunca vacilaba. Estaba tan tranquilo y era tan fuerte como el animal que lo acompañaba.

Jack cuidaba estupendamente a su burro. Cada día hurtaba forraje fresco para alimentarlo. Sólo descansaba cuando el burro parecía fatigado. Mientras reposaba, Jack se inquietaba por los soldados heridos que lo necesitaban. Sabía que escudriñaban el acantilado en busca del hombre y su burro.

A veces, cuando el burro lo llevaba a cuestas, algún soldado encontraba fuerzas para preguntarle:

—¿Cómo se llama tu burro, Jack?

Jack sonreía y contestaba:

—Bueno, ya sabes, estoy demasiado ocupado para pensar en un nombre. ¿Se te ocurre alguno?

Y mientras Jack, el burro y el herido bajaban por el acantilado, el soldado buscaba nombres que pudieran quedarle al pequeño burro. A menudo, los soldados elegían nombres que les recordaban los buenos tiempos, antes de la guerra.

—Centella —decía uno—, así se llamaba un caballo de carreras al que ningún otro caballo superaba. En una ocasión gané tres libras apostándole. Deberías ponerle Centella a tu burro, Jack.

—De acuerdo —asentía Jack—, Centella será.

Otro soldado decía:

—Ponle Mordisco a este burro, Jack. En casa tengo un perro que se llama Mordisco.

Jack lo pensaba y acababa diciendo:

—Sí, Mordisco es el mejor nombre.

Otro soldado sugirió:

—Botones. En la granja, cuando era niño, teníamos un burro llamado Botones. Es el nombre adecuado para un burro.

—Botones... ese nombre me gusta —decía Jack—. Cuéntame de tu granja.

El burro les hacía recordar cosas buenas y tiempos mejores.

—Llámalo Billy, por mi hermano, que tenía unas orejotas. Cómo nos burlábamos del pobre chico, Jack.

—Ponle Greystoke a tu burro, Jack. Así se llama la casa de mi abuelita. ¡Los pasteles que hacía, Jack! ¡Olían a gloria!

Muy pronto el burro se ganó 100 nombres distintos. Y a Jack lo bautizaron con un nombre adicional. Los soldados empezaron a llamarlo "el más valiente entre los valientes". Y como el burro les recordaba tiempos mejores, los soldados empezaron a sentirse optimistas, tal como se sentían en aquellos tiempos. Cuando veían a Jack y a su burro, los soldados recordaban que no estaban solos. Confiaban en que el valiente Jack los salvaría si caían heridos. Sabían que él los recogería, los vendaría y los llevaría a un lugar seguro.

La cercanía del burro también hizo sentir mejor a Jack. El suave pelaje gris le recordaba el verano sobre los techos de teja de su pueblo. Las pezuñas negras le recordaban los adoquines cuadrados de las calles. El cálido olor del burro le evocaba la cocina de su madre. En su imaginación, la veía de pie, en el escalón del frente de la casa, llamándolo a cenar.

Durante 24 días con sus noches, Jack y su burro recorrieron la ladera del acantilado. El burro se quedaba quieto mientras Jack atendía al herido. Cargaba con cuidado a cada paciente, sin tropezarse ni respingar. Aunque las balas pasaban cerca, no los tocaban. Los soldados se preguntaban si el enemigo, encaramado donde podía ver todo, también había visto al burro y recordaba tiempos mejores. Quizás el enemigo actuaba con cautela cuando el burro estaba cerca porque no quería herirlo: quería seguir recordando.

Pero la guerra es la guerra, y los soldados a veces olvidan que hay cosas buenas en el mundo, cosas que vale la pena preservar.

Una mañana, Jack y el burro treparon por una saliente para poder llegar hasta un hombre que pedía ayuda entre lamentos. Alguien le advirtió a Jack:

—No subas, Jack. Hay una docena de francotiradores agazapados allá arriba.

Jack asintió con la cabeza, pero no podía abandonar a un hombre herido. El más valiente entre los valientes y el burro de los 100 nombres cruzaron la saliente sin temor. El día se anunciaba precioso; el aire olía a romero y tomillo.

El herido yacía en un paraje descubierto. Jack recordó la advertencia sobre los francotiradores que estaban al acecho. El paraje descubierto parecía un lugar peligroso.

—Quédate aquí —le dijo al burro, y lo empujó hacia la maleza. Prefería que el burro estuviera lo más protegido posible. Luego se lanzó hacia el paraje descubierto a la velocidad del viento.

Pero aun así, una bala lo alcanzó y cayó al suelo. La brisa levantó un torbellino de arenisca que sopló en su rostro.

Jack supo que estaba gravemente herido y que no sobreviviría. Cerró los ojos ante el intenso azul del cielo. Oyó a la distancia el fuego de artillería y el silbido de las balas. Oyó gritar a los soldados que el más valiente entre los valientes había caído.

Luego sintió que le tocaban la cara. Jack no tuvo fuerzas para abrir los ojos, pero supo que el burro había salido de la maleza para acercarse a él y había puesto su cara gris junto a la suya. Su suave hocico le rozó la mejilla con la delicadeza del terciopelo. Percibió su olor rústico y terroso. El olor hizo que Jack pensara en su casa.

Su madre estaba llamándolo a cenar. Jack, muriendo, corrió hacia ella.

14
HÉROES

Cuando la historia finalizó, el público del soldado permaneció en silencio. Cada quien pensaba en Jack y en la guerra. Cocó miró el burro de plata y se lo imaginó llevando soldados heridos a la playa. Siempre había pensado que la guerra era un lugar extraño y sombrío donde los hombres discutían enfadados y jugaban cartas con frecuencia. No podía imaginar calurosos acantilados cubiertos de maleza, donde los soldados se despeñaban como piedras.

En cambio, Pascal recorría el pedregoso campo de batalla en su mente. Sus ojos se habían abierto con asombro a cada mención de las balas, la metralla o el peligro. No podía imaginar algo más emocionante. Hizo como que no había oído el final de la historia: cuando Jack muere.

En cambio, Fabrice sí lo escuchó. Admiró la valentía de Jack y lo envidió por haber tenido la oportunidad de demostrarla. Él ansiaba desesperadamente realizar una hazaña heroica en su vida. No quería ir cojeando detrás de todo el mundo para siempre.

Marcelle permaneció pensativa más tiempo. Tenía lágrimas en los ojos. La historia de Jack la había llenado de amor y compasión por todas las cosas. Juró dedicarse a hacer el bien. Trataría de ayudar a los afligidos y transformar el mal en bien.

—¿Todavía están ahí? —les preguntó el soldado, aun cuando ya podía distinguir sus figuras borrosas.

—Aquí estamos —le aseguró Pascal—. Sólo nos quedamos pensando.

—Ayer creías haber encontrado una forma de que yo regresara a casa —dijo el soldado—. ¿Podrías decirme de qué se trata, Pascal?

—Es un buen plan —intervino Fabrice—. Creo que funcionará.

El soldado hizo un gran esfuerzo por ver al chico a través de la persistente bruma de sus ojos. La noche se acercaba sigilosamente por el bosque, como si fuera un gato, y por primera vez en muchos días, el soldado pudo alcanzar a ver un indicio del flanco oscuro de la noche. Estaba recuperando la vista, aunque muy,

muy lentamente, como si ésta no tuviera muchas ganas de volver.

—Dime cuál es el plan, Pascal —dijo.

Pascal, sintiéndose importante, se enderezó y explicó su idea. El soldado escuchó con atención. Interrumpió un par de veces e hizo varias preguntas. A veces, Fabrice intervenía para explicarle tal o cual punto. Marcelle escuchaba atentamente, maravillada de que una niña común y corriente como ella hubiera sido responsable de iniciar toda una aventura.

Cocó también escuchaba, aunque no hubiera querido hacerlo. Deseaba que el soldado fuera feliz y le preocupaba el pobre de John, que estaba enfermo, pero aun así, no quería que el soldado se fuera. Sabía que, en cuanto el soldado se hubiera marchado, el bosque le parecería vacío y triste.

Pascal y Fabrice terminaron su explicación. El soldado no dijo nada, pues pensaba en el plan. Sabía que él solo no habría podido idear un plan mejor.

—¿Cuándo lo haríamos? —preguntó.

—Mañana en la noche —dijo Fabrice—. La noche del viernes suele ser la más tranquila en el pueblo.

—¿¡Mañana!? —objetó Cocó, y todos voltearon a verla—. ¡Mañana es demasiado pronto!

Marcelle dijo con dulzura:

—Cocó, recuerda que *monsieur* no está a salvo aquí. Tiene que irse. Y su hermano John está esperando que llegue a casa.

Cocó asintió con reserva, y apretó el burro de plata. Cuando pensó en el bosque vacío, parpadeó, la barbilla le tembló y sintió ganas de llorar.

—Entonces, mañana en la noche —dijo el soldado—. Muy bien. Estaré listo.

A Fabrice le dolían las piernas. Le dolían cuando permanecía de pie durante mucho tiempo. Quería sentarse, pero temía que, si lo hacía, no parecería valiente. Deseaba que los niños lo creyeran intrépido y con la situación controlada. Fabrice no podía imaginarse a un capitán o a un general sentados en el húmedo suelo del bosque. Miró hacia el cielo y dijo:

—Ya casi es de noche, niños; es hora de regresar a su casa. Apúrense, antes de que su papá venga a buscarlos. Yo me quedaré aquí un minuto más para hablar con el Teniente.

Marcelle, Pascal y Cocó se pusieron de pie con gran dificultad.

—Buenas noches, *monsieur* —dijo Cocó deslizando el burro de plata en la mano del soldado.

Los tres se alejaron lentamente, mirando a Fabrice con resentimiento. En su opinión, el Teniente Shepard les pertenecía; después de todo, ellos lo habían encontrado. Habían tenido la amabilidad de hablarle del Teniente. Y ahora Fabrice se los robaba porque sólo eran unos niños sin importancia, y no podían hacer nada para detenerlo. Estaban enfurruñados y de mal humor. Sin embargo, como eran unos niños bien educados, no pudieron reprocharle nada. En vez de ello, se dedicaron a hacerse reproches unos a otros durante todo el descenso por la colina.

Mientras tanto, Fabrice se sentó y suspiró aliviado. Agradecía que el soldado estuviera ciego y no pudiera ver su falta de gallardía.

—¿Puedo hacerle unas preguntas, Teniente? —dijo.

—Por supuesto —contestó el soldado.

—Pascal me habló de su hermano enfermo, John —comenzó Fabrice—. ¿En verdad tiene un hermano, Teniente? ¿En verdad está enfermo? ¿O se trata de un fantasma hecho de deseos y temores, alguien inventado por usted para disfrazar la vergüenza de huir de una guerra que otros hombres, hombres valientes, se quedaron a pelear?

El soldado sonrió desalentado.

—¿Qué más da si mi hermano es real o no? De todos modos huí de la guerra. De todos modos hice algo vergonzoso y cobarde.

—Si la gente del ejército llegara a atraparlo, lo mataría por desertor.

El soldado lo sabía y no dijo nada.

Fabrice agregó:

—Tal vez también maten a quienes ayudan a los soldados a desertar.

El soldado pensó que esto podía ser cierto.

—No quiero ponerlo en peligro, Fabrice —dijo—. Entendería si decide que esto es demasiado riesgoso.

Fabrice miró sus piernas deformes.

—La vida nos pide aceptar riesgos de vez en cuando —contestó—. Yo quería ser soldado, pero la milicia no me aceptó a causa de mis piernas. Un hombre no necesita piernas para disparar un arma; las batallas se ganan con el cerebro, no con las piernas. Pero fui rechazado y desde entonces siento que no valgo nada. "Nadie me necesita", pensé, "y nunca requerirán mi ayuda". Entonces Pascal me habló de usted. Usted necesita ayuda, Teniente, y yo quiero ayudarlo. Mejor todavía, puedo hacerlo. No me importa si resulta peligroso. Usted está ciego y cansado, ha dado lo mejor de sí, y ahora añora volver a su casa. Merece regresar a casa. Lo ayudaré a hacerlo y así sabré que yo también puedo hacer algo valioso.

El soldado permaneció callado. Estaba cabizbajo.

—Le estoy muy agradecido.

—No es necesario —contestó Fabrice—, lo hago por mí tanto como por usted.

—El bote, el combustible, eso cuesta dinero. Y sin embargo, no tiene para comprarle un anillo de boda a su novia...

Fabrice sacudió la cabeza.

—¡Ni lo mencione, Teniente!

—Mis bolsillos están vacíos —continuó el soldado, empuñando el burro. Estaba hecho con el mejor metal. Era todo de plata. El soldado supuso que valdría algo de dinero. Dijo:

—Si me permite, le daré...

Fabrice lo interrumpió alzando la voz:

—¡Teniente! Pocas veces en la vida tenemos oportunidad de hacer algo heroico. ¡No lo arruine hablándome de algo tan ordinario como el dinero!

El soldado sonrió con desolación.

—Muy bien —miró hacia el burro sin verlo—. Mañana en la noche, entonces —suspiró—. Aquí estaré, aguardando.

—Bien. El bote estará listo —Fabrice se puso de pie—. Prepararé una canasta y llevaré mi violín. ¡Con música, comida y una garrafa de vino, nuestro viaje será placentero! Buenas noches, amigo mío, que duerma bien.

El soldado escuchó al joven alejarse cojeando. Volvió a pensar en todo lo que le había dicho. Estaba convencido de que podía confiar en Fabrice. Pero le inquietaba el plan de rescate. La situación era riesgosa y complicada, aunque el plan era de lo más simple. Detrás de su entusiasmo, se ocultaba un profundo temor de que no funcionara por su simplicidad. Esperaba equivocarse, y oró por que así fuera: esperar y orar era lo único que podía hacer.

Se recargó en su árbol y se envolvió en la manta. Percibió que ya había oscurecido. Una brisa juguetona rozaba las ramas. Las palomas se sacudían la luz matutina de las plumas y escondían la cabeza bajo sus alas. De noche, el bosque era tranquilo. Los árboles se susurraban suavemente unos a otros. Algunas criaturas dormitaban, y otras caminaban apaciblemente. El agua formaba diamantes en las hojas primaverales recién brotadas. De noche, el bosque era la vida silvestre en reposo. El soldado estaba contento de volver pronto a casa, pero nunca olvidaría el bosque.

15

La última tarde

Los niños apenas pudieron concentrarse en la escuela el día siguiente. Pascal esperaba emocionado su aventura nocturna. Marcelle también pensaba en ella, preocupada de que algo saliera mal. Cocó, melancólica, pensaba en muchas cosas: en la guerra y en el bosque vacío. No prestó atención a la pregunta que hizo *madame* Hugo: "¿Cómo se llama el primer ministro de Inglaterra?". Miraba por la ventana con el corazón apesadumbrado.

Cuando *madame* Hugo tocó la campana al final del día, Pascal salió corriendo hacia el muelle. Quería encontrar a Fabrice y verificar que todo transcurriera conforme a lo planeado. Marcelle y Cocó caminaron lentamente a casa.

—Quisiera tener dinero para comprarle un bizcocho al soldado —dijo Marcelle—. Pero podemos recoger unas flores y llevárselas.

Cocó levantó la cara hacia su hermana.

—Marcie —murmuró—, ¿por qué papá no está peleando en la guerra, como ese hombre, Jack, y como *monsieur* Teniente?

—Bueno, pues porque alguien debe quedarse a ordeñar las vacas.

Cocó se detuvo a considerar el asunto. Luego dijo:

Yo estaría muy asustada si papá estuviera peleando en la guerra.

—Yo también —dijo Marcelle.

En casa, los estantes de la despensa estaban vacíos. Las hermanas encontraron un pedazo de pan y un pequeño frasco de miel.

—Tal vez esté demasiado feliz para tener hambre.

Caminaron de la mano por la vereda, ascendiendo por las colinas verde esmeralda. Mientras subían recolectaban flores silvestres que habían crecido entre la hierba. Pronto tuvieron alegres ramos de violetas y anémonas. Cuando caminaban, el sol irradiaba su tibieza. Los insectos volaban y zumbaban entre la hierba.

Ya en el bosque, Cocó preguntó:

—¿Silbamos como Pascal?

Marcelle lo intentó. Hizo un sonido como de gallina.

—Silbar es una tontería —dijo secamente—. Lo llamaremos como siempre lo hemos hecho.

El soldado las oyó venir antes de verlas. Durante el día, la vista se le había despejado más de lo que se hubiera atrevido a esperar. Podía ver la vaga imagen de los árboles. Podía ver sus ramas delgadas y sus hojas meciéndose en la brisa. Su visión era débil y confusa, como si mirara bajo el agua, pero veía colores, veía el cielo, y pensó que, cuando cruzara el Canal, sería capaz de ver el camino que lo conduciría a su casa. Cuando oyó pasos en el bosque, el soldado alzó la mirada y vio a dos niñas con vestidos azules a cuadros. En los brazos llevaban flores que olían a sol y colinas.

—Somos nosotras, *monsieur* —dijo la más alta—, Marcelle y Cocó.

—Casi puedo verlas —dijo el soldado.

Las niñas se detuvieron, tímidamente.

—*Monsieur,* ¿puede usted ver que mi pelo es como el de un poodle? —preguntó Cocó.

—Sí —dijo el soldado—, sólo que me parece mucho más bonito que el de un poodle.

Cocó soltó una risita. Marcelle puso los ojos en blanco. Luego dijo:

—Le trajimos un poco de pan y miel. No había nada más en la despensa.

—Pan y miel se oye delicioso —dijo el soldado—. No sé qué habría sucedido si no me hubieran encontrado, Marcelle. Ustedes me salvaron la vida.

Marcelle se ruborizó y sonrió, y ambas niñas se sintieron felices. Se sentaron cerca de su soldado. Marcelle dejó caer gotitas de miel en el pan. Cocó le mostró al soldado las flores que le habían traído. El soldado buscó el burro de plata en su bolsillo y se lo pasó a Cocó sin esperar a que se lo pidiera.

Marcelle observaba al soldado comer su pan con mucho apetito. Dijo:

—Debe de estar muy contento de regresar a su casa esta noche.

El soldado asintió.

—Sí, *lo estoy*. Pero también voy a echar mucho de menos el bosque.

Marcelle paseó la mirada alrededor, hacia los elegantes olmos y las hayas extendidas.

—¿No hay bosques donde usted vive, Teniente?

El soldado sonrió.

—Sí, sí hay. Pero en mi país vivo en una casa y no en un bosque. La gente me creería loco si lo hiciera.

—Si viviera en el bosque, la gente se burlaría de usted. Le pondrían apodos.

—¡*Monsieur* Ardilla! —dijo Cocó.

—¡*Monsieur* Tejón! —rio Marcelle.

—Sí, eso pasaría —dijo el soldado con seriedad—. Pero me gustó vivir aquí, en este bosque.

—Podría quedarse si quisiera —dijo Cocó.

Marcelle la ignoró. Ella entendía que el soldado no podía quedarse. Preguntó:

—Cuando llegue a casa, ¿qué es lo primero que hará, *monsieur*?

El soldado ya había pensado en esto, y sabía qué responder:

—Bañarme —contestó—. Me enjabonaré el pelo hasta formar una enorme bola blanca. Me cortaré las uñas de los pies y me cepillaré los dientes. Luego me secaré con una toalla con talco. Por último, voy a ponerme mi piyama y mi bata.

—Pero, ¿y su hermano John? ¿Usted no irá a verlo? ¿No le avisará que ya está en casa para que ya deje de llamarlo por las noches?

—Claro que lo haré —dijo el soldado—, cuando esté limpio y acicalado, iré a su habitación. Llevaré una bandeja de galletas y dos tazas de chocolate. Me sentaré en su cama y le contaré sobre la guerra. Le hablaré de ustedes, de Pascal y de Fabrice, y de mi estancia en este bosque. Querrá saber todo lo que le ha ocurrido al burro de plata.

—¿Todo lo que le ha ocurrido a *mi* burro de plata? —Cocó puso los ojos redondos.

—John fue quien encontró el burro de plata —el soldado la miró—. Él fue quien me lo dio. De manera que le interesará saber adónde fue, qué vio y todas las cosas que ocurrieron.

—¿Cómo encontró John el burro?

—Se lo contaré —dijo el soldado—. Hay tiempo para una última historia.

Marcelle se sentó con las piernas cruzadas y recargó la barbilla en las manos. Cocó se sentó y apretó fervorosamente el burro plateado. Sus orejas puntiagudas y sus patas como palillos lastimaban su palma. Escuchó la historia y pensó en el chico enfermo del otro lado del Canal. Imaginó al soldado hablándole de las aventuras del burro. Vio al chico cabalgando el burro de plata en una playa arenosa y soleada. El chico y el burro se alejarían a todo galope dejando desolada a Cocó.

16
La cuarta historia

—Mi hermano fue un niño de la buenaventura —comenzó el soldado—. Durante muchos años, mi familia había estado compuesta por mi madre, mi padre, mi hermana Catherine y yo, y así éramos felices. Luego nació John, y todos nos preguntábamos cómo podíamos haber estado satisfechos de la vida sin él.

John fue un niño precioso, de cabello clarísimo y ojos verdes, que andaba por la casa muy callado. Cuando era bebé, nunca lloraba, como si no hubiera nada por lo que valiera la pena hacerlo. Para él, el mundo era un lugar maravilloso: amaba todo y a todos. A cambio, todo el mundo lo adoraba, pues era irresistible. Los petirrojos no echaban a volar cuando se les acercaba en el césped. Las ancianas de carácter difícil se tornaban dulces como pastel de crema cuando estaba cerca. Temibles perros de caza jugaban como cachorritos con él. Los tenderos le regalaban golosinas a escondidas. Había algo mágico en John, y esta magia se extendía en todas direcciones. Era capaz de arreglar pequeños objetos rotos que parecían irreparables. Si plantaba una flor caprichosa, ésta crecía tan vigorosa como la mala hierba. Si se perdía una llave y la buscábamos por toda la casa sin encontrarla, John la hallaba al instante. Nunca derramaba ni rompía nada; ni deseaba algo que no pudiera obtener. Tal vez piensen que tener un hermano perfecto era horrible para Catherine y para mí, pero no era así. Estábamos orgullosos de él. También nos enorgullecía que, entre todas las familias del mundo, John hubiera escogido pertenecer a la nuestra. Sentíamos como si una estrella fugaz hubiera caído en nuestra casa, como si un arco iris espectacular compartiera nuestro hogar y nuestra vida.

Pero los arco iris se desvanecen y las grandes estrellas se consumen. Las cosas que más vale la pena conservar son aquellas de las que siempre debemos despedirnos.

Cuando John tenía 10 años, comenzó a tropezarse. Esto era extraño, pues por lo general, era ágil como un cisne. Regresaba jadeante de sus paseos. Él, que siempre había detestado desperdiciar un solo minuto del día, empezó a dormir por las tardes. Su apetito por todas las cosas disminuyó y empezó a adelgazar.

Mamá llamó al médico, que examinó a John de pies a cabeza.

—Se trata de su corazón —anunció el doctor—. No hay nada que hacer.

El corazón de John estaba fallando: había consumido todas sus fuerzas en 10 cortos años. El doctor dijo que debía permanecer en cama, pero él se rebeló. En cuanto pudo, escapó de casa. Estaba furioso y muy asustado. Corrió a cada uno de sus árboles favoritos, suplicando un poquito de su longevidad. Corrió hacia el estanque y se arrodilló en la orilla, implorando una gota de la eternidad del agua. Corrió hacia el establo, que albergaba a sus numerosas mascotas. No supo qué pedir a los animales. Lleno de furia ciega y desesperanza, cruzó los pastizales dando traspiés. Lloró y pataleó, agitando los puños contra el cielo. Amaba demasiado el mundo y no podía soportar abandonarlo.

Finalmente, se dejó caer en el suelo, angustiado. Casi sin darse cuenta de lo que hacía, empezó a escarbar. En su mente confundida y atemorizada creía que, si excavaba lo suficiente, quizá podría llegar a un lugar donde los corazones de los niños nunca se deterioraran. Cavaría sin parar, y tal vez así haría un túnel que lo alejara de su destino.

La tierra era blanda. John escarbaba con las manos. La suciedad se acumulaba bajo sus uñas y cubría su ropa. Cavó hasta que la tierra quedó regada por todos lados. Entonces, el esfuerzo de escarbar cobró su cuota. Sentía sus huesos como gelatina y apenas podía respirar. No lo sabía, pero tenía los labios amoratados. Respirando con dificultad, se inclinó sobre el hoyo que acababa de cavar. El agujero que lo había dejado exhausto era poco profundo, apenas lo suficiente para hacer tropezar a una oveja, prácticamente invisible. No había conseguido, nunca lo conseguiría, escapar de su destino. John sabía que, aun cuando abriera un túnel hasta China, no lograría sanar su corazón.

Lágrimas de derrota escurrieron por sus mejillas y salpicaron el agujero. Una tras otra, cayeron en la tierra. Pronto formaron un charco; luego apartaron la tierra. De repente, en medio del llanto, John vislumbró algo que brillaba en el fondo del agujero. Con curiosidad, metió la mano y extrajo un burro de plata cubierto de tierra y manchado de lágrimas.

Retiró la tierra que lo cubría y lo contempló. Se secó los ojos y volvió a contemplarlo. ¿Qué hacía un burro de plata enterrado en un pastizal? ¿Quién lo había puesto ahí? ¿Por cuánto tiempo había estado enterrado, en espera de que lo encontraran?

John sabía mucho sobre animales. Mientras contemplaba el tesoro de plata, pensó en los burros: lo que había leído, las historias que había escuchado, las cosas que había aprendido al observar toda clase de criaturas. Metió el burrito en su bolsillo y caminó de regreso a la casa. Su pobre corazón latía con fuerza. Necesitaba descansar. Pero antes de llegar a casa, John se desvió. Regresó al establo donde guardaba sus mascotas. Tenía una tortuga, un cernícalo y un cachorro de zorro muy astuto y veloz. Tenía una familia de ratones de campo y un búho al que le faltaba un ala. Tenía una alocada comadreja enjaulada, lejos de los ratones de campo. John los acarició, uno por uno, y les dio de comer. Luego se sentó en la paja y los observó, pensando en muchas cosas.

Había implorado a los grandes árboles que le otorgaran longevidad. Le había suplicado al agua que no lo dejara morir. Pero John no había sabido qué pedir a sus queridos animales. Ahora lo sabía, y dijo:

—Dejen que me parezca más a ustedes. Ayúdenme a aceptar que la noche siempre sigue al día. Permítanme vivir cada día lo mejor que pueda y dormir en paz durante la noche.

La comadreja, los ratones de campo, la tortuga, el zorro, el búho y el cernícalo lo miraron con serenidad. Y John sintió cómo su atemorizado corazón se iba tranquilizando.

En casa, pulió el burro de plata y lo colocó en su mesa de noche. A partir de ese momento, John se fue debilitando cada día. Pronto ya no pudo recorrer los campos. También le faltaba energía para subir las escaleras. Le compraron una silla de ruedas para que no se perdiera el placer de salir a respirar aire fresco.

Mudaron su cama y sus juguetes a una habitación soleada en la planta baja. Ahí estaba, cerca del ajetreo de la casa. El burro de plata fue a parar al alféizar de la ventana de la nueva habitación. Sus costados destellaban con la luz del alba. Durante el invierno, cuando nevaba, los copos se reflejaban con destellos blancos en su brillante pelaje. John festejó su cumpleaños. Resollaba como un viejo y no tuvo fuerzas ni para soplar las 11 velas de su pastel.

El soldado se detuvo. Miró a Marcelle y a Cocó.

—Para entonces —continuó—, la guerra ya había comenzado. Me alisté para convertirme en soldado. Mis padres y mi hermana estaban contrariados. Sabían que muchos soldados no regresarían de la guerra. Les preocupaba que resultara herido o que el enemigo me capturara. Les preocupaba que pudiera perderme en un país extranjero, entre extraños, lejos de casa.

Marcelle exclamó:

—¡Usted no está entre extraños! ¡Cocó y yo somos sus amigas!

El soldado sonrió.

—Sí —dijo—, eso le complacería a John. Después de oír las preocupaciones de mamá y papá y de mi hermana, fui a la habitación de John. Recuerdo que era un día muy frío, pero su cuarto se sentía muy acogedor. Habían encendido la chimenea. John yacía bajo colchas coloridas. Se veía delgado y muy pálido. Levantó la vista de su libro.

—John —le dije—, me acabo de alistar. Voy a pelear en la guerra.

John se quedó pensativo. Luego sonrió.

—Si fuera mayor —dijo—, podría ir contigo. Así no tendrías que ir solo; tendrías un amigo.

—Pensaré en ti mientras esté lejos —prometí.

Seguimos charlando y, finalmente, llegó el momento de mi partida. Lo besé en la frente y le dije:

—Tú y yo volveremos a encontrarnos.

—Espera —dijo John—. Llévate el burro de plata. Puede ser tu amuleto de la suerte.

—Pero el burro de plata es tuyo —protesté.

—Ahora será tuyo —respondió—. Cada vez que lo veas, te acordarás de hacer tu mejor esfuerzo.

El soldado guardó silencio e hizo crujir las hojas que tenía en sus manos. Dijo:

—Al principio no entendí lo que John quiso decir; no comprendía cómo un burro de plata podría recordarme que diera lo mejor de mí. Sin embargo, creo que ahora lo entiendo. Creo saber qué quiso decir John.

Las niñas miraron el burro de plata con intensidad. No lo veían como un objeto sin vida, sino como algo vivo y cálido. Recordaron las historias que el soldado les había contado. Recordaron a Avellana, la gentil burra de Belén, que usó las pocas fuerzas que le quedaban para ayudar a la gente que la necesitaba. Recordaron al burro que ascendió a lo alto de la montaña y aceptó sufrir para que otros no conocieran el dolor. Recordaron cómo el burro de los 100 nombres, el aguantador amigo del valiente Jack, demostró cómo la criatura más humilde de todas puede tener el corazón más valiente.

Miraron al soldado, que dijo:

—Temo que John lamente haberme dado el burro. El burro de plata pertenece a quienes son valientes y dignos de confianza.

—¡Pero usted es todo eso, *monsieur* Teniente! —dijo Cocó—. ¡Usted es valiente y digno de confianza!

El soldado no habló. Miró arriba, más allá de los árboles. Una luna brumosa brillaba en el cielo de la noche temprana. Las urracas se disputaban acaloradamente las mejores perchas para pasar la noche.

—Se hace tarde —habló quedamente—. Mañana, a estas horas, estaré en casa.

—Lo vamos a extrañar —dijo Marcelle.

—Y yo las extrañaré. Siempre pensaré en ustedes. Me las imaginaré más grandes y más altas. ¿Qué harán cuando sean grandes? ¿Qué quieren llegar a ser?

—Yo seré enfermera —dijo Marcelle—. Quiero hacer algo que sea para bien.

El soldado dijo:

—Ser enfermera es excelente. Serás una enfermera maravillosa, Marcelle.

—¡Yo quiero ser exploradora! —dijo Cocó dándose importancia—. Viajaré por todas partes y descubriré toda clase de cosas.

—Estoy seguro de que lo harás, Cocó. El mundo te espera.

Las hermanas y el soldado se sonrieron.

—Vayan a casa y traten de descansar —dijo él—. Tenemos una larga noche por delante.

Las pequeñas, obedientes, se pusieron de pie y de su regazo cayeron algunas hojas. Si todo salía conforme a lo planeado, verían a su soldado una última vez, así que no se despidieron.

17

La partida

Después de la cena, cuando ya había oscurecido y el pueblo se había recogido para la noche, Fabrice encendió su motocicleta y atravesó las calles ruidosamente. Tomó la vereda adoquinada que pasaba por la casa de Pascal, Marcelle y Cocó. Ellos aguzaron el oído toda la tarde, en espera del rugido de la moto. Cuando Cocó lo escuchó, su corazón empezó a latir a toda prisa. Estaba emocionada y afligida a la vez.

Habían acordado que Pascal hablaría.

—Papá —dijo—, Fabrice me dijo que hay peces espinosos bajo el embarcadero. ¿Puedo ir a atrapar algunos? Son buenos como carnada.

—No veo por qué no —dijo su papá. Estaba leyendo un libro.

Marcelle dijo:

—Si Pascal puede ir al embarcadero, ¡yo también puedo ir!

—¡Y yo! —prorrumpió Cocó—. ¡Yo quiero ir!

Pascal se opuso:

—¡Ustedes nunca paran de hablar! ¡Espantarán a los peces!

—¡Papá, dile a Pascal que podemos ir!

El papá se tapó las orejas con las manos.

—¡Pascal, lleva a tus hermanas al embarcadero! Sólo así tendré un poco de paz.

—Ninguno de ustedes irá a ningún lado —la mamá de los niños no levantó la cabeza de su zurcido—. Ya casi es hora de acostarse y hace frío afuera. Los peces seguirán ahí en la mañana.

Los niños intercambiaron miradas horrorizadas.

—¡No! —chilló Pascal—. ¡Mañana ya no van a estar, mamá! ¡Tú no sabes nada de pesca! Los peces espinosos solamente salen a la superficie con la luz de la luna. ¡Si no los atrapo ahora, no los atraparé nunca! De todos modos, es muy temprano para acostarse y mañana no tenemos clases.

—Cuando yo era niño —dijo su papá— siempre teníamos clases los sábados en la mañana.

—¡Oh! —resopló Cocó—. ¡Qué horrible! ¿Por qué nosotros no tenemos clases los sábados, papá?

—Buena pregunta, Cocó —dijo su papá—. En estos tiempos, hay muchas faenas que hacer y no hay suficientes adultos para realizarlas. ¡*Madame* Hugo canceló las clases sabatinas porque sabe que a los niños no les gusta la escuela, pero adoran realizar faenas!

Cocó canturreó muerta de risa.

—¡Qué chistoso eres, papá!

—Mamá —dijo Pascal—, si prometemos levantarnos temprano y hacer nuestras tareas sin una sola queja, *si juramos por nuestras vidas* que haremos todo lo que digan, ¿podemos ir al embarcadero?

—¡Sin una sola queja! —se maravilló el papá—. ¡Cómo he anhelado que llegue ese día!

—¡Lo juramos, mamá, lo juramos!

—¡Han prometido hacer lo que se les pida! —dijo el padre, al tiempo que enlazaba las manos y se las llevaba al corazón.

La madre suspiró. Eran cuatro contra una.

—Está bien —dijo—, pueden ir. Pero tendrán que ponerse sus abrigos.

—¡Sí, mamá, lo haremos!

Los niños se pusieron los abrigos rapidísimo, antes de que su mamá cambiara de parecer. Descolgaron la red de pescar de su gancho y salieron a todo correr por la puerta.

Mientras tanto, Fabrice cruzaba las colinas detrás del pueblo en su motocicleta. La luna era un medio círculo, y proyectaba una pálida luz sobre los troncos y las piedras. Pronto el camino se fue perdiendo entre las zarzas y los matorrales. Fabrice detuvo la moto y apagó el motor. Sin el rayo amarillo de la luz delantera, el mundo se oscureció como boca de lobo. Rápidamente, Fabrice encendió una lámpara y miró a su alrededor. Sabía dónde estaba y no tenía miedo, pero el paisaje lucía muy diferente bajo el resplandor de la lámpara y la luna. Los árboles crujían tenebrosamente; criaturas escondidas hacían ruidos extraños. El murmullo embrujado de las hojas hizo sentir escalofríos a Fabrice. Aumentó la flama un poco más y avanzó cojeando, decidido.

El soldado lo oyó venir. Su sentido del oído era agudo como el de un búho. Sin embargo, su vista seguía siendo demasiado débil para divisar algo a través de la negrura de la noche.

—¿Fabrice? —llamó el soldado en medio de la oscuridad susurrante.

—*C'est moi* —contestó Fabrice.

La luz de la lámpara exploró el claro donde el soldado esperaba sentado. Los árboles parecieron inclinarse hacia adelante, hacia la luz. Parecían murmurarse unos a otros que había un extraño entre ellos. A Fabrice no le agradó.

—¿Está usted listo? —preguntó al soldado.

—Sí.

El soldado se puso de pie. Sus manos vacilaban en la oscuridad. Fabrice lo tomó del brazo.

—¿Tiene todas sus cosas, Teniente?

—Sí —contestó el soldado—, las tengo.

El hombre cojo y el hombre ciego se ayudaron a bajar la colina. Se desplazaron lentamente, arrastrando los pies en la oscuridad. El soldado escuchó que la voz de los árboles se alejaba a medida que el bosque cedía espacio a la campaña. Sin árboles que la detuvieran, la brisa soplaba fuerte y fresca. Una rama de hiedra espinosa atrapó el dobladillo del pantalón del soldado. Muy pronto empezó a sentir el crujir de piedrecillas bajo sus botas. Finalmente, ambos hombres llegaron a la carretera.

—Aquí está mi motocicleta —dijo Fabrice.

Fabrice ayudó al soldado a acomodarse en el asiento lateral. El soldado nunca había viajado en una cosa como ésa. Cuando Fabrice encendió la motocicleta, los chirridos y zumbidos del motor provocaron en el soldado una mueca de dolor. Le pareció que había pasado mucho tiempo desde la última vez que escuchó un ruido tan fuerte. Los ruidos fuertes le recordaban la guerra.

La motocicleta rodeó las colinas. Tomaron el camino estrecho que zigzagueaba más allá de las granjas silenciosas. El soldado se puso su manta en la cabeza como las ancianas se ponen sus capuchas. Si un granjero en busca de una oveja perdida los hubiera visto pasar, habría pensado que el soldado era la abuela de Fabrice. Aun así, el soldado mantuvo la cabeza baja.

No vio las aldeas ni las granjas por las que pasaron. No vio los manzanares en flor. No vio las tambaleantes y desgastadas cercas de madera, ni los viveros de largos pinos perfumados. No vio las ruinas rocosas de la abadía ni los escombros del antiguo castillo de granito. No vio el río bordeado de sauces y poblado de nenúfares, ni el puente de piedra que se arqueaba bellamente sobre la estrecha anchura del río. Si hubiese visto estas cosas hermosas, no habría podido creer que una terrible guerra se libraba no lejos del camino.

Entretanto, los niños atravesaban el pueblo. Las tortuosas calles estaban iluminadas por altos faroles de hierro forjado. Las lámparas arrojaban pálidos rayos sobre las paredes encaladas. La manija de hierro de una puerta roja chirrió de vieja. Las tejas de los techos tenían un tímido color azul noche. En la iglesia, los radiantes vitrales dormían en las sombras grises. Sólo las flores de las calles que crecían en grandes tiestos redondos usaban la luz de las lámparas. Ahí donde la luz las tocaba, sus hojas lanzaban destellos color verde profundo. Las fucsias, los rododendros, los belenes y las azaleas se extendían a lo largo de la vereda y trepaban a la carretera.

Los niños llegaron al embarcadero antes que el soldado y Fabrice. En el puerto no había nadie, excepto ellos mismos y las gaviotas adormiladas. Caminaron en una sola fila a lo largo del rompeolas, con los brazos extendidos para mantener el equilibrio. Bajaron de un salto y corrieron hasta el punto donde las olas rompían en la arena. Escudriñaron la oscuridad de la noche, buscando la línea donde el agua se une al cielo. Era muy emocionante estar solos en la playa, en medio de una aventura secreta. Los niños intercambiaron grandes sonrisas y se taparon la boca con las manos. Pascal lanzó la red de pescar sobre las olas que lamían la playa. Atrapó una tira de alga y la sacudió con asco. Las puntas de las botas de Cocó estaban mojadas y cubiertas de espuma de mar: sintió que se hundía lentamente entre los guijarros y la arena pantanosa.

La noche era fría y cada vez más serena. El pueblo, alumbrado con velas, descansaba plácidamente a sus espaldas. Durante un rato, lo único que oyeron fue el romper de las olas. Eran diminutas, apenas un poco más grandes que rizos. Finalmente, Pascal habló.

—El Canal está en calma. Eso es bueno.

—Entonces *monsieur* Teniente no sufrirá mareos —dijo Marcelle.

—Aunque el Canal estuviera muy bravo, él no sufriría mareos —a Cocó le pareció importante que sus hermanos entendieran esto.

El sonido de la motocicleta que se acercaba hizo que se volvieran a mirar. Cocó sacó la mano de su bolsillo para tomar la de su hermana. Marcelle apretó la pequeña palma con fuerza. Sentían que sus corazones brincaban como pajaritos.

Al principio, sólo vieron los angostos establecimientos alineados a lo largo del muelle. Los faroles de la calle alumbraban las fachadas de las tiendas y proyectaban fantasmas más allá de las ventanas. Entonces la motocicleta apareció en una esquina y su luz delantera inundó las marquesinas de las tiendas y los balcones. Fabrice detuvo la motocicleta mientras los niños corrían por la playa.

—¡Teniente, Teniente! —gritaron ruidosos como gorriones.

Se reunieron al pie del embarcadero. Los niños apenas podían creer que el soldado que había vivido en el bosque era el mismo hombre que ahora se encontraba en el embarcadero. El soldado percibió que los niños brincaban de emoción a su alrededor y le dieron ganas de reír y de llorar. Quería irse a casa, pero también quería quedarse.

—¡Shhh! —los reprendió Fabrice—. ¡Van a despertar a todo el pueblo!

Arrepentidos, los niños guardaron silencio y apretaron los labios. Cocó y Marcelle le tomaron las manos al soldado. Siguieron a Fabrice y a Pascal por el embarcadero. En un brazo, Fabrice cargaba una canasta donde asomaban un pan y una garrafa. En la mano sostenía una lámpara. En el otro brazo, acunaba su desgastado violín.

El embarcadero producía un rechinido ronco bajo los pasos de los cinco cómplices. Los tornillos flojos se levantaban como hombros que se encogen y se hundían de nuevo en su sitio. A lo largo del embarcadero había botes de pesca de varios tipos. Algunos eran gráciles navíos que ostentaban mástiles esbeltos. Otros eran chaparros y se balanceaban en el agua como pesados corchos. El agua salpicaba pesadamente los cascos hinchados. Mientras más avanzaban, el olor a salmuera se volvía más penetrante. Escucharon el ocasional chapuzón de habitantes marinos que se escabullían. La brisa soplaba con mayor fuerza a medida que se alejaban de la orilla, y revolvía los rizos de Cocó alrededor de su cara. El viento asió la gorra de Fabrice y se la arrancó de la cabeza.

Casi habían llegado al extremo del embarcadero cuando Fabrice al fin se detuvo. Encendió la lámpara, pero con una flama tenue. El soldado fijó la mirada a su alrededor sin poder ver casi nada. En cambio, los niños vieron una embarcación de madera, baja y sólida, que restregaba su nariz juguetonamente contra el embarcadero y se balanceaba de un lado al otro. Su casco era café y las orillas de la cabina blanca y cuadrada estaban decoradas con un azul descolorido. Tenía pintado su nombre en la popa: se llamaba *Perla*. Fabrice tenía la esperanza de que el *Perla* fuera tan insignificante que, al menos por una noche, nadie notara su ausencia.

—Henos aquí —dijo—. Estamos listos, Teniente. No debemos demorarnos.

De repente, el soldado no supo qué hacer. Se hincó en el embarcadero. Las niñitas se apretaron contra su pecho. Abrazó primero a Marcelle y luego a Cocó.

—Gracias —susurró.

—Espero que su hermano John se alivie, *monsieur* —dijo Marcelle.

El soldado dijo:

—Nunca olvidaré lo gentil que has sido conmigo, Marcelle.

Cocó se colgó de su cuello obstinadamente.

—¡No quiero que se vaya!

—Debo hacerlo —le explicó el soldado—. Sabes que no puedo quedarme. Recuerda que eres muy valiente, mi Cocó.

Ella asintió con la cabeza y, sollozando, se aferró al soldado.

—¿Volverá a visitarnos algún día?

—Sí, lo haré —prometió el soldado—. Cuando la guerra haya terminado, Cocó. Volveré y me sentaré bajo los árboles. Hasta entonces, pensaré siempre en ustedes. Así nunca las dejaré, no en realidad.

Cocó y Marcelle intentaron sonreír. Tenían la cara húmeda de brisa de mar y despedidas. El soldado se volteó hacia Pascal y lo saludó con elegancia.

—Ha sido un honor conocerte, Pascal. Todo lo que ocurra esta noche será gracias a ti. Has sido heroico.

Pascal se sonrojó hasta las orejas. Le gustó el sonido de esa palabra: *heroico*. En ese instante, decidió que su misión en la vida sería que montones de personas se dirigieran a él con esa admirable palabra.

—Gracias, Teniente Shepard —dijo—. Le deseo buena suerte, *monsieur*.

Fabrice aguardaba a bordo del *Perla*. Aunque las aguas estaban tranquilas y los vientos eran favorables, no había tiempo que perder. Se necesitaba la mitad de la noche para que Fabrice y el soldado cruzaran el Canal, y la otra mitad para que Fabrice navegara solo de vuelta a casa. Para el amanecer, el *Perla* debía estar meciéndose inocentemente en el embarcadero como si allí hubiera pasado toda la noche, y no en otro sitio. Para el amanecer, el soldado estaría sentado en un apacible rincón de otra tierra, esperando a que el sol saliera para alumbrarle el camino a casa. Era fascinante pensar que, mientras el pueblo dormía, la pequeña embarcación resoplaría hasta el otro lado del mar y visitaría un país diferente.

El soldado se alegró de que no hubiera más tiempo que perder.

—Adiós, niños —musitó—. Adiós.

Fabrice extendió el brazo hacia él. El soldado lo tomó y bajó del embarcadero con gran cautela. Sintió en la espalda unas manitas que lo guiaban. Imaginó que las manitas parecían mariposas. Entonces se detuvo junto a Fabrice sobre la cubierta descarapelada del *Perla*, y los tres niños se quedaron juntos en el embarcadero. Se esforzó por verlos a través de sus ojos brumosos.

—Adiós —dijo una vez más.

Pascal desenganchó la poderosa soga que amarraba al *Perla*. Recargó su peso contra la proa y empujó con todas sus fuerzas. El bote se alejó en silencio del embarcadero. Fabrice había decidido no encender las lámparas ni el pequeño motor del bote hasta que se hubieran alejado cierta distancia de la orilla. El *Perla* se desplazaba elegantemente por el agua, arrastrado hacia mar abierto. Sin lámparas que la iluminaran, la embarcación se perdió rápidamente en la oscuridad. Marcelle, Cocó y Pascal se quedaron contemplándola mucho tiempo después de que había desaparecido.

18
Cocó en el bosque

El día siguiente era sábado. Los niños tuvieron que pagar el terrible precio de la promesa que habían hecho la noche anterior y realizar todas sus faenas sin una sola queja. No les dio tiempo de ir a ver si el *Perla* estaba atracado en el embarcadero, ni de correr por el pueblo a casa de Fabrice, y golpear su puerta amarilla. Más bien, el amanecer sorprendió a Pascal en el establo, al lado de su padre; Marcelle y Cocó estaban prisioneras, ayudando a su madre en la casa. Ayudaron a lavar la ropa, trapear el piso y pulir las ventanas. Sacudieron la alfombra y ayudaron a hornear tres hogazas de pan. Estaban muy distraídas y bastante desanimadas. Olvidaban hacer las cosas o las hacían mal. Hacían rabiar a su madre y eran más un estorbo que una ayuda. Su madre decidió que sería más fácil terminar el quehacer sin ellas.

—Hoy es un día soleado —dijo—. Vayan a bañar a Julieta.

Bañar a Julieta, la cerda, era divertido. A Julieta le encantaba que rascaran su piel lampiña con el cepillo. Posaba como si fuera una bailarina, con el hocico inclinado hacia el cielo; cerraba los ojos con deleite cuando el agua caliente le caía encima. Pero ni siquiera la idea de bañar a Julieta les quitó la tristeza. Marcelle puso la tetera a hervir y llenó el balde de agua jabonosa. Cocó amarró a Julieta a un poste del patio. Hicieron esto con los hombros caídos y sin entusiasmo. Sabían que debían estar felices de que su soldado estuviera a punto de llegar a casa, y estaban felices; pero también sentían pena por ellas mismas. Sentían que la vida no volvería a ofrecerles nunca una experiencia tan emocionante como la de descubrir a un soldado dormido en el bosque.

Marcelle se arrodilló junto a la cerda. Se arremangó el vestido y se puso a frotar a Julieta con el cepillo. La cerda se veía contenta y parecía sonreír. Cocó se puso en cuclillas junto a su hermana. Era agradable sentir el sol en la nuca. Un escarabajo posado sobre los adoquines se alarmó por las salpicaduras y la espuma del jabón. Cocó preguntó:

—¿Dónde crees que esté ahora, Marcie?

—No sé —contestó Marcelle—. Cerca de su casa, supongo.

—Espero que pueda ver bien por dónde camina. Espero que no se tropiece. Su vista estaba mejorando. ¿Crees que podrá ver el camino?

—No sé —dijo Marcelle.

Con el dedo, Cocó guió al escarabajo, que corrió en círculos, confundido.

—Me pregunto si el mar estaba bravo. Se veía tranquilo cerca de la orilla.

Marcelle no contestó. Le estaba tallando un costado a Julieta. La cerda resopló y meneó la cabeza. Olas de agua inundaban las grietas entre los adoquines. El escarabajo trepó en busca de lugares más elevados.

—No se veía bravo en el puerto —meditó Cocó.

—Pásame el trapo —ordenó Marcelle.

Cocó le dio el trapo. Marcelle lavó con la esponja la cara remilgada de Julieta. Cocó recargó la barbilla entre las manos, entornando los ojos al sol. Los pajarillos revoloteaban por doquier. Todo olía a verano.

—Me pregunto qué hará primero cuando llegue a casa. Dijo que iba a bañarse. Quizá ya esté bañándose, ¡al igual que tú, Julieta!

—¡Cierra la boca! —prorrumpió bruscamente su hermana—. ¡Ya deja de decir estupideces, Thérèse! ¡Largo de aquí! ¡Estoy harta de ti! ¡No dices otra cosa que estupideces!

Cocó estaba estupefacta y profundamente ofendida. Los ojos se le llenaron de lágrimas y fue a ocultarse por la vereda. Con el entrecejo fruncido, Marcelle la vio alejarse. Lamentaba haberla regañado, pero se alegró de haberse quedado sola. Se concentró en limpiar a Julieta. La enjabonó con rigor. Cuando sus pensamientos divagaban, volvía a pensar en libélulas, tartas de fruta y en Émile Rivère. Pensó en el vestido de lunares que su madre le haría. Se imaginó convertida en enfermera, y llevando la medicina de alguien en una bandeja. Quería pensar en el soldado, pero no se lo permitió. El soldado se había ido; no iba a volver. Pensar en él sólo la haría llorar. Y eso no le gustaría a *monsieur* Teniente; él querría que ella fuera feliz. Por eso Marcelle trató de pensar, con todas sus fuerzas, en las cosas que la hacían feliz.

Cocó, sin embargo, estaba disfrutando sentirse mortalmente triste. Vagabundeó por la vereda sollozando penosamente. No se limpió las lágrimas que resbalaban como cascadas por sus mejillas.

—¡Teniente, Teniente! —gimoteó—. ¿Por qué, por qué, por qué?

Supuso que, cualquiera que la viera —una niña sola, llorando y tambaleándose por la vereda—, no podría sino sentirse conmovido.

Sintió que algo le trepaba por el estómago. Pegó un chillido y se puso a danzar de un lado a otro dándose manotazos frenéticamente. Un escarabajo cayó al suelo panza arriba, agitando las patas en el aire. Cocó estaba segura de que era el mismo escarabajo que casi se ahogaba durante el baño de Julieta. La impresionó su ingeniosa huida. Se agachó para observarlo. Tenía caparazón negro. Su cabeza era una cuña minúscula con dos tenazas curvadas como dientes. Cocó enderezó a la criatura con cuidado y la puso sobre sus seis patas. El escarabajo echó a andar tranquilamente, como si nada memorable hubiera ocurrido.

Cocó se quedó en cuclillas. Ya no lloraba. Sus mejillas estaban húmedas y se las secó con el vestido. Escudriñó la vereda, esperando que nadie la hubiera visto llorar. Luego se puso de pie y se asomó sobre el muro que flanqueaba el camino. Más allá del muro, estaba la campiña, y más allá de ésta, el bosque. Cocó trepó por el muro y saltó a la hierba del otro lado.

—Voy a buscar hongos para Julieta y flores para Marcie —anunció generosa.

Vagando, llegó a la cúspide de una colina. Vagando, bajó por el otro lado. Atravesó los altos pastos, recogiendo flores aquí y allá. Notó que algunas vacas la miraban. Una audaz vaquilla que deambulaba cerca salió corriendo cuando Cocó gritó ¡Bu! El sol era cálido y placentero: se quitó las calcetas y las botas, y las dejó sobre una piedra gris. Esperó acordarse de volverlas a encontrar, y enseguida se olvidó de ellas. El pasto se sentía delicioso bajo sus pies. La tierra estaba húmeda y fresca. Avanzó canturreando y soñando.

Tiró las flores que había recogido para Marcelle. Ya no le interesaban.

Muy pronto llegó al límite del bosque. Cocó intentó sorprenderse al encontrarse a la sombra de los olmos, pero, en el fondo, sabía que había esperado todo el día para ir. El bosque la aguardaba. Su alegría se desvaneció y su ánimo se volvió sombrío. Como si fuera una catedral, entró respetuosamente en el bosque.

—Soy yo —dijo bajito, caminando entre las sombras y oyendo a los pájaros alejarse—. Sólo soy yo, *monsieur*.

Los altos árboles la observaban altivos. Las ramas y las hojas caídas crujían bajo sus pies. Tocó cada árbol que encontraba a su paso. La corteza se sentía rugosa y fresca.

—Soy yo, Cocó —dijo en voz alta—. No se asuste, Teniente, sólo soy yo...

Una brisa en las copas de los árboles agitó las hojas; algunas le cayeron encima con suavidad. Cocó hizo a un lado las ramas de saúco con delicadeza y contuvo la respiración. Ahí, frente a ella, estaba la hondonada donde el soldado había acampado. Ahí, apilado junto a su árbol favorito, había un bulto. Con una breve exclamación de alegría, Cocó voló hacia el pedazo de tierra. En su imaginación, el burro de plata cobraba vida y corría hacia ella.

Cayó de rodillas frente a las cosas que había dejado el soldado. Las revolvió deprisa. Estaban la almohada, la bufanda, los calcetines de lana y la segunda mejor navaja de rasurar de papá. Todo había sido cepillado, limpiado y doblado cuidadosamente. Cocó apretó los calcetines de lana y sacudió la bufanda. Esculcó cada átomo del relleno de plumas de la almohada. Su corazón, que había estado palpitando velozmente, desaceleró, decepcionado. Aún esperanzada, Cocó volvió a buscar, aplastando la almohada y metiendo las manos dentro de los calcetines. Pero el burro de plata no estaba en ningún sitio.

Cocó, malhumorada, se sentó y contempló los objetos regados. El soldado había dejado estas cosas, mas no el burro. No pudo evitar sentirse agraviada. Había deseado desesperadamente quedarse con él. En el embarcadero, ella había rezado para que se lo obsequiara. Se había imaginado su mano morena extendida hacia ella, el destello plateado entre sus dedos. Pero no lo hizo, y el bote se había hecho a la mar. Ahora, el burro se había ido para siempre. Cocó se tapó la cara con las manos y luchó contra las oleadas de dolor. "Sé valiente", se ordenó. El soldado le había pedido, en el embarcadero, que recordara lo valiente que era. Igual que Avellana, el burro del cielo y el burro de los 100 nombres: buenos, fuertes y valientes.

Un pájaro carpintero golpeteó un árbol con su pico. Hizo un sonido hueco y seductor. Cocó se asomó por encima de sus dedos para buscar el ave. Buscó alrededor del claro, pero no pudo verla. Su mirada regresó a la almohada, la bufanda, la navaja de rasurar, los calcetines de lana. Cocó se preguntó por qué razón el soldado había dejado aquellas cosas ahí. Podría habérselas entregado fácilmente a Fabrice, y él las habría devuelto sin falta.

De repente, entendió por qué. El soldado había dejado las cosas ahí porque sabía que Cocó volvería al bosque a recordarlo, y en busca del burro de plata.

Pero el burro no estaba ahí.

Al menos, Cocó no podía verlo.

Frunció el entrecejo. Hizo pucheros. Se meció en sus tobillos, y pensó detenidamente.

El soldado había dicho que el burro pertenecía a quienes eran valientes y dignos de confianza. El soldado dijo que Cocó era valiente. También era digna de confianza: había cumplido su promesa y nunca le dijo a nadie del soldado escondido en el bosque.

John, el hermano del soldado, dijo que el burro le recordaría dar lo mejor de sí a quien lo poseyera. John, el hermano del soldado, era un chico valiente y digno de confianza. Él encontró el burro de plata y se lo dio al soldado.

Cocó se enderezó, parpadeando apresuradamente.

—¡Oh! —murmuró.

Recorrió el claro a gatas. Despejó las ramas y las piedras que cubrían el piso del bosque. Muy pronto descubrió un sitio donde la tierra había sido removida recientemente. Veloz como una liebre, Cocó comenzó a cavar. La tierra era negra y gruesa, pero no era difícil de escarbar. Se aflojaba entre sus dedos. El soldado había excavado por ella.

Estaba acostado de lado, a poca profundidad. Cocó lo sacó, riendo y gritando, y lo agitó en el aire. Se lo llevó a los labios y lo besó. Lo limpió con su vestido. Le miró los ojos con gran regocijo. El pequeño burro de plata le devolvió un destello.

En algún sitio, en una playa lejana, unas huellas cruzaron y se quedaron grabadas en la arena mientras los niños correteaban, recolectando conchas de mar, riendo y jugando bajo el sol.

EN ESTA MISMA SERIE:

Antes, Parvana llevaba una vida normal: iba a la escuela, salía a jugar con sus amigas, se vestía como quería. Sin embargo, desde que los talibanes llegaron al poder, las niñas y las mujeres sólo pueden salir de sus casas si van acompañadas de un hombre. ¿Qué hará Parvana ahora que su padre —el único hombre en el hogar— ha sido capturado por los talibanes y no hay quien mantenga a su familia?

Un relato estremecedor sobre la crueldad de la guerra, la esperanza y la solidaridad.

EN ESTA MISMA SERIE:

Tomás ve cosas que nadie más puede ver: la belleza de Elisa y su pierna de madera, la magia de la vecina que ama a Beethoven. Pero Tomás también ve que su devoto e implacable padre golpea a su madre. Y Tomás puede consolarla, mas no protegerla. Sin embargo, Tomás logra enfrentarse a su padre al descubrir, gracias a su amistad con la vecina, que la felicidad empieza cuando uno deja de tener miedo.

Esta poderosa novela aborda la violencia familiar y las ideologías fundamentalistas con una sabiduría, agudeza y humor insuperables.

Impreso en los talleres de
Litográfica Ingramex, S.A. de C.V.,
Centeno 162-1, Col. Granjas Esmeralda,
México, Distrito Federal.
Mayo de 2008.